HELP!
Y CLWB CYSGU CŴL

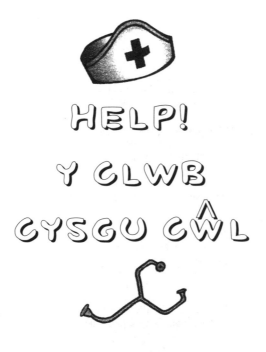

HELP!
Y CLWB
CYSGU CŴL

Fiona Cummings

Addasiad Siân Lewis

GOMER

Argraffiad cyntaf—2004

Hawlfraint y testun: © Fiona Cummings, 2000

Hawlfraint y testun Cymraeg: ⓑ Siân Lewis, 2004 ©

ISBN 1 84323 302 9

Teitl gwreiddiol: *Emergency Sleepover*

Cyhoeddwyd gyntaf ym Mhrydain yn 2000
gan HarperCollins Publishers Ltd.,
77–85 Fulham Palace Road, Hammersmith,
Llundain, W6 8JB

Mae Fiona Cummings wedi datgan ei hawl dan
Ddeddf Hawlfraint, Dyluniadau a Phatentau 1988
i gael ei chydnabod fel awdur y llyfr hwn.

Cymeriadau gwreiddiol y gyfres, ynghyd â
llinellau stori a golygfeydd © Rose Impey, 1997

Dymuna'r cyhoeddwyr gydnabod cymorth
Adrannau Cyngor Llyfrau Cymru.

Argraffwyd gan
Wasg Gomer, Llandysul, Ceredigion SA44 4QL

CIT CYSGU CŴL

1. Sach gysgu
2. Gobennydd
3. Pyjamas neu ŵn nos (coban i Sara!)
4. Slipers
5. Brws dannedd, pâst dannedd, sebon ac yn y blaen
6. Tywel
7. Tedi
8. Stori iasoer
9. Bwyd ar gyfer y wledd ganol nos: siocled, creision, losin, bisgedi. Beth bynnag rwyt ti'n hoffi.
10. Tortsh
11. Brws gwallt
12. Pethau gwallt – bòbl, band gwallt, os wyt ti'n eu gwisgo nhw
13. Nicers a sanau glân
14. Dillad glân ar gyfer fory
15. Dyddiadur y Clwb a cherdyn aelodaeth

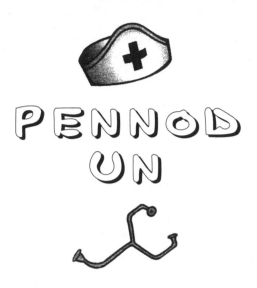

PENNOD UN

Haia! Mae dy wyneb di'n welw. Ydy popeth yn iawn? Wyt ti'n teimlo'n sâl? Oes gen ti boenau? Gest ti gnoc neu glais? Wyt ti'n siŵr, nawr? Achos os wyt ti'n sâl galla i, Doctor Sam, dy helpu di. Hei, paid ag edrych arna i fel'na. Mae'n wir! Dwi wedi byw a bod yn yr ysbyty'n ddiweddar – wel, bod o leia – ac ar ôl treulio tipyn o amser yno dwi'n hollol siŵr, heb os nac oni bai, 'mod i'n dal i eisiau bod yn ddoctor. Na, dw i ddim wedi bod yn sâl. Sara oedd yn sâl. Wel, nid sâl yn union . . . Dere i eistedd i lawr ac fe ddweda i bopeth wrthot ti.

Ocê, wel, fe ddechreuodd yr helynt rai

wythnosau'n ôl, pan oedden ni'n cael cyfarfod o'r Clwb yn nhŷ Sara. Roedd hi'n noson gynnes iawn, ac wrth gwrs roedden ni i gyd braidd yn wyllt. Nawr rwyt ti'n gwybod sut fath o dŷ sy gan Sara, yn dwyt? Mae e'n fawr, yn anniben ac mewn cyflwr gwael. Mae Sara'n cael ffit bob tro mae ei thad yn addo dechrau trwsio'r tŷ ac yna ddim yn gwneud. Hen sleifyn yw e, os gofynni di i fi. Fe drefnodd fod ei deulu'n symud i hen sgerbwd o dŷ, ac yna i ffwrdd ag e i fyw gyda'i gariad. Ond mae mam Sara'n swnio'n ddigon hapus ac mae Ian ac Ems, ei brawd a'i chwaer, yn ddigon hapus hefyd. Sara yw'r unig un sy'n gwylltio ambell waith.

Ta beth, dyna lle'r oedden ni'n cwrso'n gilydd rownd y tŷ ac roedd Ffi'n boen fel arfer.

"Ddylen ni ddim bod yn chwarae fan hyn," cwynodd. "Chi'n cofio be ddwedodd Mrs Murray. Mae'n beryglus!"

Iawn, roedd mam Sara wedi dweud wrthon ni gannoedd o weithiau am beidio â chwarae yn yr ardd gefn am fod llwyth o hen sbwriel ar y patio. Ti'n gwybod y math o beth – ffrâm gwely gyda sbrings yn tasgu i bob cyfeiriad, hen 'styllod wedi pydru, cannoedd o hoelion wedi rhydu – deall? Ond yn anffodus, er i ni gael rhybudd, roedden ni'n mynd yno fel pryfed i bot jam.

Ond rhaid i Ffi fod yn angel bach! Mae hi bob amser yn gwrando ar oedolion. Nawr dyw hynny ddim yn normal, ydy e? Felly allwn i ddim help tynnu'n groes.

"Dere, Ffi. Mentra!" gwaeddais gan ddringo ar ben y pentwr sbwriel. "Be sy'n bod arnat ti? Wyt ti'n meddwl bod y sbwriel yn mynd i neidio atat ti a'th GNOI di?"

Ar y gair fe neidiais fel anifail gwyllt ac fe roliodd rhai o'r hen bibellau i'r llawr gan wneud sŵn dychrynllyd.

"Dylet ti fod yn ofalus, Sam," rhybuddiodd Ali. "Mae'n edrych yn eitha peryglus lan fan'na."

Fyddet ti byth yn credu sut mae Ali wedi newid! Hi fyddai'r gynta i ddringo ar y pentwr beth amser yn ôl. Ond nawr mae hi mor gall a chyfrifol. Pam? O achos Eli, ei chwaer fach. Babi yw Eli. Dyw hi ddim hyd yn oed yn dod mas gyda ni, ond mae Ali'n dal i feddwl ei bod yn gorfod dangos esiampl iddi. Mae hi'n wirion bost. Ac yn boring. Na, gwranda. Mae hi'n dal i fod yn wyllt nawr ac yn y man. Ond ar y noson arbennig hon roedd hi mor sydêt â Ffi.

"O, dewch 'mlaen, bois! Be sy'n bod arnoch chi?" gwaeddais yn ddiamynedd. "Dwi eisiau cael hwyl. Ydych chi'n cofio beth yw hwyl?"

Roedd pawb yn syllu arna i o waelod y pentwr.

"Dere, Mel!" gwaeddais. "Rwyt ti wastad yn gêm."

Mae gan Mel bedwar brawd, ac mae hi lawn mor fentrus â nhw. Does dim stop arni fel arfer.

"Na." Ysgydwodd ei phen. "Dim heddi, diolch."

Yr hen fabis! Yr unig berson oedd yn dangos diddordeb oedd Sara ei hun.

"Dere 'te, Sara-Bara!" gwaeddais yn llon. "Dere i weld pa mor ddewr wyt ti!"

Dringais yn bellach lan a syllu'n heriol arni. "Dwyt ti ddim yn fabi hefyd, wyt ti?"

Fflachiodd llygaid Sara a gwasgodd ei

gwefusau'n benderfynol. Roedd hi ar fin rhoi ei throed ar waelod y pentwr, pan ddwedodd Mel:

"Paid nawr, Sara. Dwi newydd glywed Ems yn cerdded drwy'r gât. Os gwelith hi di, bydd hi'n gacwn gwyllt."

"Bydd hi'n dweud wrth dy fam, a byddwn ni i gyd mewn helynt dros ein pennau a'n clustiau," meddai Ali.

Ro'n i wedi cael llond bol. Felly dyma fi'n esgus crio fel babi a chropian ar yr un pryd. Ond doedd hynny ddim yn hawdd, achos roedd y sbwriel yn gwegian bob tro ro'n i'n symud. Edrychodd Sara dros ei hysgwydd, ond doedd dim sôn am Ems – dim ond Ffi a'r lleill yn edrych arni'n ofidus.

"Dere, Sara. Paid â bod yn fabi. Mae'n ffantastig fan hyn!" gwaeddais gan daflu fy mreichiau ar led. Gwichiodd y gwely'n fygythiol o dan fy nhraed.

Edrychodd Sara arna i a gwenu.

"Paid â gwrando, Sara! Paid!" sibrydodd Ffi.

Ond roedd hi'n rhy hwyr. Camodd Sara'n ôl ac yna rhuthro am y pentwr. Ro'n i wedi dringo'n eitha gofalus. Ond roedd Sara ar dân. Roedd hi eisiau dangos i bawb pa mor ddewr oedd hi. Ond mwya i gyd oedd hi'n rhedeg, mwya i gyd oedd y pentwr yn symud. Ac yna dechreuodd y sbwriel ei llyncu fel rhyw fwystfil mawr! Dwi'n dal i gofio'r dychryn yn ei llygaid hi.

"Hei, Sara! Cydia yn fy llaw i!" gwaeddais, gan blygu tuag ati a thrio gafael ynddi. Ond allwn i ddim cyrraedd – ac wrth iddi hi drio estyn ata i, fe lithrodd ei throed ac i lawr â hi. Am foment ofnadwy! Fe ddisgynnodd fel doli glwt a tharo'i phen gyda chlec ar balmant y patio.

Chlywais i erioed sŵn mor erchyll. Wna i bydd anghofio'r CRAC! Ond yn waeth byth, dechreuodd gwaed lifo o'i phen. Er i fi wylio pob rhaglen ysbyty ar y teledu, welais i erioed ddim byd tebyg. Roedd damwain Sara'n ddengmil gwaeth nag unrhyw ddamwain welais i ar *Glan Clwyd*.

Dim ond rhyw funud barodd y cyfan, ond roedd pob eiliad yn teimlo fel awr. Fel ffilm wedi'i harafu. Roedd sŵn sgrechian ac wylo yn y cefndir, ond wyddwn i ddim beth oedd e.

Ddois i ddim ataf fy hun nes i Ffi ddechrau gweiddi: "Rwyt ti wedi'i lladd hi! Rwyt ti wedi'i lladd hi!"

"Paid â bod yn ddwl," dwedais yn dawel yn fy llais doctor. "Dim ond wedi cwympo mae hi."

Plygais i lawr a rhoi fy nghlust wrth ei cheg. Roedd hi'n dal i anadlu, diolch byth. Ond roedd ei llygaid ar gau ac roedd hi'n anymwybodol.

"Ewch i alw'r ambiwlans!" gwaeddais a rhedodd Ali i'r tŷ.

Y funud honno dyma Ems a Hanc yn dod rownd y gornel.

"Beth ydy'r holl sgrechian 'ma?" gofynnodd Ems yn bwysig. "Dwedodd Mam wrthoch chi am beidio chwarae fan'ma."

Yna fe welodd hi Sara'n gorwedd mewn pwll o waed, a dechreuodd hithau sgrechian.

"O na! Na! Be sy wedi digwydd?" Plygodd dros ei chwaer fel petai am ei thynnu ar ei thraed.

"Paid â'i symud hi!" dwedais yn bwt. "Dwi'n meddwl bod ei throed hi'n sownd yn y sbwriel. Os symudwn ni hi, falle caiff hi fwy o ddolur. Rhaid i ni aros am ddynion yr ambiwlans."

Allwn i ddim credu 'mod i'n swnio mor dawel a rhesymol. Roedd fy mol yn corddi ac ro'n i'n teimlo'n swp sâl.

"Sara! Cariad bach!" Gwthiodd Mrs Murray heibio i ni. Penliniodd yn ymyl Sara a mwytho'i gwallt. "Aros di, cariad. Mae'r ambiwlans ar ei ffordd. Bydd popeth yn iawn."

Ro'n i'n teimlo'n ofnadwy. Arna i oedd y bai am y ddamwain.

"Mae'n ddrwg gen i," mwmianais.

Edrychodd mam Sara arna i. Ro'n i'n meddwl ei bod hi'n mynd i ofyn beth oedd wedi digwydd, ond dim ond ysgwyd ei phen wnaeth hi.

"Fydd yr ambiwlans ddim yn hir, Sam. Wnei di ffonio dy dad a gofyn iddo ddod i nôl pawb?"

Nodiais a rhedeg i'r tŷ. Ro'n i'n crynu fel deilen wrth ddeialu'r rhif. Pan atebodd Dad, fe gynhyrfais yn lân. Dwi byth yn crio fel arfer. Rhaid 'mod i'n dioddef o sioc.

"Alli di ddod i'n nôl ni o dŷ Sara?" llefais.

"Mae Sara wedi cael damwain ofnadwy. Mae hi'n mynd i'r ysbyty ac arna i mae'r bai."

"Aros di fan'na, Sam. Dwi ar fy ffordd," meddai'n dawel.

Tu allan clywais seiren yn sgrechian. Rhedais at y gât a dechrau chwifio'n wyllt i dynnu sylw'r ambiwlans. Roedd y parameddygon mor dawel â Dad. Cydion nhw yn eu bag a gofyn i fi beth oedd wedi digwydd. Eglurais i fod Sara wedi cwympo ac wedi taro'i phen.

"Nawr paid ti â gwylltu, bydd popeth yn iawn," meddai'r ddau pan es i â nhw at Sara. "Mae'r pen bob amser yn gwaedu'n ddrwg. Siawns fod pethau'n edrych dipyn gwaeth nag ydyn nhw mewn gwirionedd."

Camodd pawb o'u ffordd. Aeth un o'r parameddygon i archwilio Sara a siarad yn galonnog â hi, er ei bod hi'n anymwybodol. Aeth y llall i edrych ar ei phigwrn. Roedd raid iddyn nhw dorri drwy'r sbwriel i'w rhyddhau ac roedd y bigwrn yn gam ac wedi chwyddo. Iych!

Ar ôl gorffen fe godon nhw Sara ar stretsiar a rhoi mwgwd dros ei hwyneb. Allwn i ddim diodde 'i gweld hi'n edrych mor wael wrth iddyn nhw ei gwthio i ffwrdd.

Wrth i'r stretsiar nesáu at y gât, cyrhaeddodd Dad. Rhoddodd ei fraich am ysgwyddau Mrs Murray.

"Fe gaiff hi'r gofal gorau yn Ysbyty Glangwili," meddai. "Peidiwch chi â phoeni. Oes rhywbeth allwn ni wneud i helpu? Beth am Ems ac Ian? Fyddan nhw'n iawn?"

Nodiodd Mrs Murray. "Mae Ian gyda'i dad," meddai, "a bydd Ems yn mynd draw yno hefyd, yn byddi di, Ems?" Edrychodd ar Ems. Cododd hithau'i phen a nodio braidd yn bwdlyd.

"Ffoniwch fi pan gewch chi newyddion," meddai Dad wrth i ddrws yr ambiwlans gau.

Yna i ffwrdd â'r ambiwlans a'i seiren yn bloeddio.

"Iawn. Pawb i gasglu eu pethau ar unwaith," meddai Dad. "Mae mam Sam wedi ffonio'ch rhieni, felly maen nhw'n disgwyl amdanoch chi. Dewch nawr, codwch eich calon! Mae pawb wedi cael sioc, ond dwi'n siŵr y bydd Sara'n iawn. Mae hi'n mynd i'r lle gorau."

Aethon ni i gyd lan i stafell Sara i nôl ein cit Clwb. Roedd yn teimlo'n od hebddi. Dwi'n siŵr bod pawb yn teimlo 'run peth, ond ddwedodd neb air. Ond pan gyrhaeddon ni'r car, allai Ffi ddim dal dim mwy.

"Ro'n i'n *gwbod* bod rhywbeth ofnadwy'n mynd i ddigwydd," meddai yn ei dagrau. "Fe wnes i drio dweud wrthot ti, Sam, ond fel arfer wnest ti ddim gwrando. Wel, mae Sara wedi marw – *a dy fai di yw e!*"

PENNOD DAU

Ro'n i'n teimlo'n ofnadwy. Roedd Dad yn mynnu bod Sara'n iawn – doedd hi ddim wedi marw – ond doedd hynny ddim help. Ro'n i'n beio fy hunan am y ddamwain. Ac yn amlwg roedd pawb arall yn fy meio i hefyd. Wnaethon nhw ddim dweud hynny, ond edrychodd neb arna i wrth adael y car. Neb – dim hyd yn oed Ali, fy ffrind gorau.

"Dere di, bach. Bydd popeth yn iawn," meddai Dad yn garedig pan gyrhaeddon ni adre.

"Ond wnest ti ddim gweld Sara!" llefais. "Roedd hi'n wyn, wyn. Ac roedd gwaed dros y lle i gyd!"

"Wel, rhaid i ti ddod i arfer â gwaed os wyt ti am fod yn ddoctor," meddai Dad.

"Dwyt ti ddim yn deall. Arna i oedd y bai! Beth os na fydd hi byth yn gwella'n iawn?"

"Dwyt ti ddim yn arfer gwylltu fel hyn. Rwyt ti wedi ypsetio, yn dwyt?" meddai Dad yn dyner.

Ro'n i'n teimlo'r dagrau'n cronni yn fy llygaid. Sychais nhw i ffwrdd yn chwyrn. Dwi'n casáu crio, ond rywsut allwn i ddim help.

"Paid â gofidio, cariad," meddai Dad. "Does dim pwynt. Rhaid i ni aros i fam Sara ein ffonio ni."

Wir i ti, disgwyl am yr alwad ffôn yna oedd yr amser gwaetha ges i erioed. Ro'n i'n teimlo mor ddiflas allwn i ddim cicio pêl. Dyna ddangos i ti pa mor ddrwg oedd pethau. Ac roedd fy chwaer iychi, Bethan Bwystfil, yn pryfocio drwy'r amser ac yn gwneud pethau'n waeth byth.

"Ti a dy ddwli," meddai. "Sdim rhyfedd dy fod ti mewn trwbwl. Ti ddylai fod yn yr ysbyty!"

"Pam na gaei di dy ben cyn i fi ei gau e gyda'r dwrn 'ma?" chwyrnais.

"W! 'Na hen dymer fach gas!" snwffiodd. "Rwyt ti wedi gwneud digon o niwed am heddi, dwi'n meddwl!"

Oni bai bod y ffôn wedi canu, byddwn i wedi rhoi clipsen iddi ta beth. Rhedais i'w ateb, ond Dad gyrhaeddodd gynta.

"Helô, Caren. Sut mae'r claf? Da iawn . . . O, ardderchog . . . W, poenus iawn! . . . Wel, ie, dyna'r peth calla . . . O, dwi'n siŵr y gwnân nhw. Iawn, fe ddweda i wrthi. Cofiwch ni at Sara. Hwyl."

"Wel?" gwichiais.

"Mae hi'n iawn," gwenodd Dad, "heblaw am ben tost a phoen yn ei phigwrn. Maen nhw'n mynd i'w chadw hi yn yr ysbyty am ddiwrnod neu ddau. Maen nhw am gadw llygad arni am ei bod hi wedi cael cnoc ar ei phen."

"Alla i . . . ?"

"Galli di a dy ffrindiau fynd i'w gweld hi. Mae Sara wedi bod yn gofyn amdanoch chi i gyd."

"Iawn! Dwi ar y ffordd!" Rhedais at y drws.

"Gan bwyll, Sam Tân!" Tynnodd Dad fi'n ôl. "Mae hi'n rhy hwyr i ymweld heddi. Fe gei di fynd bnawn fory. Beth am ffonio dy ffrindiau? Dwi'n siŵr fod pawb eisiau gwbod sut mae Sara. Ond paid â bod yn rhy hir. Iawn?"

Roedd Ali a Mel yn falch dros ben o glywed fod Sara'n iawn a dwedodd y ddwy y bydden nhw'n dod i'r ysbyty gyda fi. Ond roedd Ffi'n dal i ddannod.

"Wel, lwcus i ti ei bod hi'n gwella!" meddai'n sur pan glywodd hi'r newyddion. "Gallet ti fod wedi'i pharlysu hi, meddai Mam."

Mae ofn popeth ar fam Ffi – ac mae ei merch yr un fath. Doedd mam Ffi ddim eisiau iddi ddod i'r ysbyty hyd yn oed rhag ofn iddi ddal rhyw glefyd erchyll! Fe godais i gywilydd arni drwy ddweud, "Bydd pawb yn meddwl dy fod ti'n Ffi-ffiaidd os na ddoi di," ac o'r diwedd fe gytunodd hi i ddod.

Felly am dri o'r gloch bnawn drannoeth roedden ni i gyd yn sefyll o flaen prif fynedfa Ysbyty Glangwili.

"Dwi'n casáu oglau ysbyty!" cwynodd Ali.

"Er, doedd dim ots gen i fynd i weld Mam ar ôl i Eli gael ei geni."

"Dwi BOB AMSER yn casáu ysbyty!" gwichiodd Ffi. "Dwi'n mynd i aros amdanoch chi fan hyn."

Edrychais i'n gas arni, a dyma'r lleill yn cadw sŵn nes iddi gytuno i ddod.

"Dwi'n mynd i siop yr ysbyty i brynu losin i Sara," meddai Mel.

"Fe ddo i gyda ti," meddai Ali. "Dwi'n mynd i brynu cylchgrawn iddi."

Ro'n i wedi prynu llyfr posau iddi'n barod ac roedd Ffi wedi dod â farnis ewinedd i godi'i chalon. Ond fe aethon ni i'r siop gyda'r lleill beth bynnag, achos allen ni ddim dioddef cwmni'n gilydd yn y coridor.

Wyt ti wedi bod mewn ysbyty? On'd yw hi'n anodd dod o hyd i'r ward gywir? Mae cymaint o goridorau i'ch drysu chi. Roedden ni'n meddwl ein bod ni wedi cyrraedd Ward y Plant o'r diwedd – ond, na! Roedd rhaid dringo rhagor o risiau.

"Wna i byth ffeindio'r ffordd mas," cwynodd Ffi.

O'r diwedd fe gyrhaeddon ni ddrysau dwbl

enfawr gyda llun jyngl arnyn nhw. Dyma Ward y Plant, mae'n rhaid. Os nad oedden nhw'n trin gorilas yno'n slei bach!

Hyrddion ni'n hunain drwy'r drysau – a phwy oedd y person cynta welson ni? Sara! Roedd hi'n edrych fel anghenfil mewn ffilm! Roedd cadach mawr dros dop ei phen ac roedd ei throed wedi chwyddo fel balŵn. Roedd cadach am honno hefyd ac roedd pwli'n ei chodi i'r awyr.

"Rwyt ti'n edrych yn ofnadwy!" cyhoeddodd Ffi, gan ddisgyn i'r gadair wrth y gwely.

"O, diolch!" chwarddodd Sara. "Ro'n i'n meddwl 'mod i'n edrych yn trendi iawn!"

Chwarddodd pawb dros y lle a rhoi'r anrhegion iddi.

"Waw! Go dda!" gwenodd Sara. "Rhaid i fi fynd i'r ysbyty'n fwy aml."

"Dim prob! Gad ti bopeth i fi!" dwedais mewn llais dwl.

Ac yna gwelais Ffi'n syllu'n gas arna i. Fe ddiflasais ar unwaith.

"Iawn!" dwedais yn bwt. "Mae'n ddrwg gen i, Sara. Doeddwn i ddim yn trio gwneud i ti gwympo."

"Popeth yn iawn!" gwenodd Sara. "Damwain oedd y cyfan."

"Rwyt ti'n lwcus!" chwarddodd Ali. "Dyna'r tro cynta i fi glywed Sam yn ymddiheuro!"

"Hei! Ca' dy ben!" protestiais gan roi proc fach iddi.

Allwn i ddim credu beth ddigwyddodd nesa. Fe lithrodd Ali dros ymyl y gwely a disgyn ar y llawr.

"Edrych beth wyt ti wedi'i wneud!" gwichiodd Ffi. "Rwyt ti'n beryg bywyd, Sam!"

Ro'n i'n chwys diferu.

"O, fy mhen bach i," ochneidiodd Ali. "Mae 'mhen i'n dost!"

"Rhedwch i nôl nyrs!" llefodd Sara.

Roedd Mel ar ei ffordd pan neidiodd Ali ar ei thraed yn wên o glust i glust.

"Ha! Tric!" gwaeddodd.

"Doedd hynna ddim yn ddoniol," cwynais. "Bues i bron â chael trawiad. *Fi* fydd yn yr ysbyty nesa."

"Wel, paid â dod i'r ward hon," meddai Sara'n dawel.

"Pam? Be sy'n bod?" gofynnodd pawb.

"Wel, mae'r nyrsys yn wych," eglurodd Sara. "Ond mae'r lolfa, lle mae pawb yn mynd i eistedd, yn ddiflas tu hwnt. Mae'r teledu wedi torri ac maen nhw'n dal i aros am deledu newydd. Ychydig iawn o lyfrau a theganau sy 'na. Mae'n ddiflas iawn i rywun sy'n gorfod aros yma am amser hir."

"O! Dyna beth ofnadwy!" meddai Mel mewn braw. "Pam na wnaiff yr ysbyty brynu offer?"

"Mae Mam yn dweud na fedran nhw ddim fforddio," meddai Sara. "Ond mae 'na apêl i godi pres tuag at Ward y Plant. Mae siart draw fan'na sy'n dangos faint maen nhw wedi'i gasglu hyd yn hyn."

Es i draw i edrych ar y siart. Siart siâp tiwb prawf oedd e. Roedd llinell goch hyd at hanner y tiwb. Felly doedden nhw ddim wedi cyrraedd y nod o bell ffordd.

"Bydd angen mwy na dy arian poced di i wella pethau!" meddai llais bach main y tu ôl i fi. "Os nad Britney Spears wyt ti. A go brin bod Britney Spears yn gwisgo cit Abertawe!"

Bachgen tenau ac eiddil oedd yn siarad. Roedd ei groen mor wyn â lliain.

"Haia. Jac ydw i," meddai.

"A Sam ydw i," atebais.

"Wyt ti wedi dod i weld yr un bert 'na draw fan'na?" Nodiodd i gyfeiriad gwely Sara.

"Ydw. Be sy'n bod arnat ti 'te?"

Dwedodd Jac fod rhywbeth o'i le ar ei waed a'i fod yn disgwyl cael triniaeth. Roedd e'n swnio'n eitha difrifol, ond doedd Jac ddim am sôn am y peth, felly wnes i ddim gofyn gormod. Deallais ei fod yn treulio tipyn o amser yn yr ysbyty ac yn cael gwersi yno. Ro'n i'n meddwl bod mynd i'r ysbyty yn ffordd dda o osgoi gwaith ysgol, ond yn amlwg dyw hynny ddim yn wir gan fod athrawon arbennig yn dod i ddysgu'r plant.

"Mae'n ddiflas heb deledu a llyfrau. Mae'r amser yn hir," meddai'n drist. Yna fe sioncodd yn sydyn. "Byddai'n well gen i chwarae pêl-droed. Rhyw ddiwrnod dwi'n mynd i chwarae i'r tîm gorau'n y byd!"

"I Abertawe?" dwedais gan bwyntio at fy nghrys.

"Abertawe? Paid â bod yn ddwl! I Man U wrth gwrs!"

Wel, roedd raid i fi gywiro Jac, on'd oedd?

Hanner awr yn ddiweddarach roedden ni'n dal i drafod y chwaraewyr a'r gêmau gorau a welson ni erioed.

"Ddrwg 'da fi dorri ar eich traws chi . . ." Dyma nyrs fawr serchog yn dod draw aton ni. "Mae'n bryd i ti gael dy foddion, Jac."

"Gwell i fi fynd." Cododd ei ysgwyddau. "Cofia roi dy arian poced tuag at yr apêl. Wela i di!"

Yn ôl ag e at ei wely ym mhen pella'r ward gan weiddi, "Up the Reds!"

Es i'n ôl at wely Sara.

"Wel, falch o dy weld di!" meddai Ali'n slei.

"Siarad â Jac o'n i," dwedais.

"Wwww, Jac!" giglodd y lleill.

"Hei, 'na ddigon!" gwenais. "Siarad am bêl-droed oedden ni."

"Dwi'n meddwl bod Jac yn go wael," meddai Sara'n ddwys. "Mae o'n byw ac yn bod yma, meddai o. Peth diflas ydy bod yma drwy'r amser heb ddim i'w wneud."

Edrychais i gyfeiriad y siart.

"Gallen ni drio codi arian," awgrymais.

Ond cyn i'r lleill allu ateb, daeth nyrs draw i

gymryd gwres Sara. Ar unwaith fe neidiodd Ffi o'i chadair fel Jac y Jwmper.

"Iawn! Adre â ni!" meddai, gan roi cusan sydyn i Sara. "Mae'n bryd i ti gael heddwch."

A dyma hi'n rhuthro drwy'r drysau fel gafr ar daranau!

"Mae hi wedi bod ar bigau'r drain ers iddi gyrraedd," meddai Sara. "Druan â Ffi. Chwarae teg iddi am ddod. Mae cymaint o ofn ysbyty arni."

"Wel, gwell i ni fynd hefyd!" chwarddodd Ali.

Rhoddodd pawb gusan i Sara a gofyn iddi'n ffonio ni ar ôl cyrraedd adre. Edrychais i weld ble oedd Jac. Ro'n i eisiau codi llaw arno, ond roedd llenni o gwmpas ei wely. Ro'n i'n teimlo'n drist iawn wrth gerdded mas, ac ro'n i'n benderfynol o wneud rhywbeth i helpu.

Ond roedd problem arall yn ein disgwyl: roedd Ffi wedi diflannu. Doedd hi ddim yn sefyll wrth ddrysau Ward y Plant a doedd hi ddim yn y toiledau, achos aeth Mel i edrych.

"Falle 'i bod hi wedi mynd mas i'r awyr iach," awgrymodd Ali.

I lawr y grisiau â ni ac ar hyd y coridorau. Roedden ni'n gofidio fwy bob munud. Dyw Ffi byth yn dda iawn am ffeindio'i ffordd. Yn yr ysbyty byddai hi'n siŵr o ddrysu!

Roedden ni yn llygad ein lle. Pan gyrhaeddon ni'r fynedfa doedd dim sôn amdani.

Am drychineb! Trychineb ELIFFANTAIDD o ENFAWR! Roedd Ffi ar goll. Ac yn waeth byth, roedd hi ar goll mewn lle oedd yn ei dychryn yn dwll!

PENNOD TRI

"Beth ydyn ni'n mynd i'w wneud?" gofynnodd Mel yn ofidus. "Allwn ni ddim gadael Ffi fan hyn!"

"Dewch i ni wahanu," awgrymodd Ali. "Pawb i chwilio rhan o'r ysbyty a chwrdd fan hyn ymhen chwarter awr. Dyna pryd bydd dy dad yn dod i'n nôl ni, ontefe, Mel?"

"Mm, deg munud wedi pedwar ddwedodd e. Ydy hynny mewn chwarter awr?" gofynnodd Mel gan syllu ar ei wats a'i llygaid yn bŵl. Mae Mel yn drysu'n lân pan fydd hi'n gorfod dweud yr amser.

"Iawn. Fe a' i ar hyd y coridor yma; cer di draw fan'na, Mel; a Sam – cer di'n ôl i gyfeiriad Ward y Plant. Ocê?" gorchmynnodd Ali.

"Iawn, syr!" Saliwtiais i a Mel, ac i ffwrdd â ni i wahanol gyfeiriadau.

Es i yr holl ffordd i Ward y Plant, ond doedd dim sôn am Ffi. Mi wthiais i 'mhig i dair ward arall hefyd a gofyn i'r nyrsys a oedden nhw wedi gweld Ffi – ond 'Na' oedd yr ateb bob tro. Ro'n i'n gobeithio byddai hi'n sefyll o flaen y drws gydag Ali a Mel pan gyrhaeddais i'n ôl, ond doedd hi ddim. Ac yn waeth byth, doedd Mel ddim yno chwaith!

"Ddylwn i ddim fod wedi gadael i Mel fynd ar ei phen ei hun a hithau'n methu dweud yr amser!" ochneidiodd Ali.

"Beth ddwedwn ni wrth ei thad?" gofynnais.

"Rhy hwyr nawr i feddwl am esgus," llefodd Ali. "Dyma fe'n dod!"

Roedd fan fawr tad Mel yn dod tuag aton ni.

"Neidiwch i mewn, ferched," galwodd gan stopio yn ein hymyl. "Glou! Mae ambiwlans y tu ôl i fi!"

Neidiais i ac Ali i mewn. Wydden ni ddim sut oedd dweud fod y ddwy arall ar goll. Ond y funud honno fe welson ni nhw'n taranu drwy ddrws yr Adran Ddamweiniau.

"Wel, edrychwch ar y ddwy dwpsen 'na!" meddai Mr Davies. "Alla i ddim stopio fan hyn a'r ambiwlans wrth fy nghwt. Rhaid i fi fynd rownd eto!"

Dylet ti fod wedi gweld eu hwynebau nhw pan yrron ni heibio! Mega!

Pan lwyddon ni i stopio o'r diwedd, roedd Ffi'n wyn fel y galchen ac yn mwmian crio. Fe ddeallon ni ei bod hi wedi gweld pethau mor ofnadwy doedd hi ddim yn mynd i roi ei throed mewn ysbyty byth eto. Roedd hi'n mynnu ei bod hi wedi gweld rhywun yn cael llawdriniaeth, ond dwedais i mai rwtsh oedd hynny. Ti'n gweld, ro'n i'n grac. Pam oedd raid iddi hi weld pethau mwy cyffrous na fi? A phan ofynnon ni i Mel sut oedd hi wedi dod o hyd i Ffi, dwedodd hi mai damwain oedd y cyfan.

"Wel, beth wyt ti'n ddisgwyl? Roeddet ti yn yr Adran Ddamweiniau!" meddai ei thad gan chwerthin.

* * *

Roedd Ffi'n dal i gwyno am ei hantur yn yr ysbyty, pan aethon ni i dŷ Sara yr wythnos ganlynol. Herciodd Sara at y drws ar ffyn baglau.

"Hei, cŵl!" dwedais yn edmygus.

"Cŵl, wir!" dwedodd Sara. "Mae'n cymryd tua hanner awr i fi ddringo'r grisiau!"

"Ond betia i dy fod ti'n falch o gael dod adre," meddai Ffi.

"O, ydw!" cytunodd. "Dwi'n teimlo'r fath drueni dros y plant sy'n gorfod aros yn yr ysbyty am amser hir. Mae'n lle mor ddiflas."

"Beth am i ni godi arian tuag at yr apêl?" awgrymais. Ro'n i'n wedi bod yn meddwl am y peth ers i ni fynd i'r ysbyty i weld Sara.

"Sut?" gofynnodd Mel.

"Dim syniad," cyfaddefais gan godi fy ysgwyddau.

Dydyn ni ddim bob amser yn cael lwc wrth godi arian, fel rwyt ti'n gwybod. Ond yn sydyn fe ges i syniad ardderchog!

"Gallen ni eistedd mewn twba o ffa pob a gofyn i bobl am arian!" gwaeddais, gan neidio o 'nghadair.

"O, iych!" gwaeddodd y lleill mewn un côr.

"Dim byth!" meddai Ffi'n bendant.

"Ocê, galla *i* eistedd mewn twba o ffa pob," cynigiais. "Byddwn i'n rhoi llwyth o arian i unrhyw un sy'n fodlon eistedd mewn slwtsh o ffa pob!"

"Na, Sam!" meddai Ali'n bwt. "Eistedd i lawr nawr. Byddi di'n brifo troed Sara drwy neidio fel'na.'

Eisteddais i lawr.

"Dwi'n gwbod," meddai Ffi. "Beth am gael ein noddi am gerdded neu rywbeth?"

"Bo-ring!" gwaeddodd pawb.

"Trio helpu o'n i!" snwffiodd Ffi. "Cynigiwch chi rywbeth 'te!"

"Dwi wedi," dwedais. "Dwi eisiau eistedd mewn twba o ffa pob!"

"NA, Sam!" bloeddiodd y lleill.

"Beth am gael ein noddi am beidio â mynd i'r ysgol?" giglodd Mel.

"Neu am losgi ein hiwnifform stiwpid!" chwyrnodd Ali, gan roi plwc i'w sgert. "Dwi'n casáu'r dillad dwl 'ma!"

Nawr dwi'n glyfar iawn, fel rwyt ti'n gwybod, ond y funud honno fe ges i syniad oedd yn fwy clyfar nag unrhyw syniad ges i erioed o'r blaen.

"Dwi'n gwbod! Mae gen i syniad!" gwaeddais gan neidio ar fy nhraed unwaith eto.

"Am y tro ola, chei di ddim eistedd mewn twba o ffa pob!" meddai Ali'n chwyrn.

"Howld on, Miss Clyfar!" dwedais. "Ro'n i'n mynd i gynnig cael Diwrnod-Dewis-Dillad. Yn lle iwnifform bydd pawb yn cael gwisgo beth fynnan nhw a thalu 50c. Mae Rebecca'n cael Diwrnodau Dewis-Dillad yn ei hysgol hi ac maen nhw'n llwyddiannus iawn."

"Hei, am syniad da!" chwarddodd Sara. "Byddwn i'n fodlon talu 50c am gael gwared o'r hen iwnifform 'ma.'

Roedd pawb arall yn nodio.

"Ond beth os na fydd Mrs Parry'n fodlon?" gofynnodd Ffi'n sydyn.

"Rhaid i ni ei pherswadio hi," dwedais yn bendant.

"Bydd raid i ni drefnu hyn cyn hanner tymor," rhybuddiodd Mel. "Does dim llawer o amser."

"Na," meddai Ffi. "Ac mae'r ysgol yn cynnal Diwrnod Codi Arian ar ddydd Sadwrn cynta'r gwyliau, felly fydd Mrs Parry ddim yn fodlon i ti gynnal hwn yr un pryd."

"On'd wyt ti'n greadur diflas, Ffi?" dwedais yn grac. "Wyt ti *eisiau* codi arian i'r ysbyty? Dwed y gwir nawr!"

"Wrth gwrs 'mod i!" gwaeddodd Ffi. "Ond dwi'n meddwl y dylen ni drefnu rhywbeth ein hunain heb ofyn i'r ysgol."

"Ond rydyn ni eisiau codi cymaint o arian ag y gallwn ni," meddai Ali'n dawel. "Ac os bydd yr ysgol yn helpu fe godwn ni fwy o lawer. Hei, ydych chi'n meddwl y bydd Mrs Parry'n fodlon i ni drefnu Diwrnod Codi Arian yr ysgol? Os bydd hi, fe all yr arian i gyd fynd tuag at yr apêl."

"Pam lai?" dwedais. "Mae hi wastad yn dweud y dylen ni helpu'r gymuned. Mae hi'n siŵr o ddweud ein bod ni . . ." – a dyma fi'n dynwared Mrs Parry – ". . . 'yn dangos tipyn o fenter'!"

Roedd y lleill yn eu dyblau. Mae Mrs P. wastad yn sôn am 'dipyn o fenter'!

"Fydd raid i ni drefnu rhyw hen ffair iychi?" gofynnodd Sara gan grychu'i thrwyn.

"Neu rhyw arwerthiant boring?" gofynnodd Mel.

A dyma fi'n cael syniad arall mega-bril. Bob blwyddyn rydyn ni'n cynnig syniadau i Mrs Parry ar gyfer y Diwrnod Codi Arian. A bob blwyddyn mae hi'n dweud, "Falle blwyddyn nesa, bach." Wel, roedd blwyddyn nesa wedi dod!

"Dwi'n gwbod!" gwaeddais. Neidiais lan a bues i bron â baglu dros droed Sara. "Gallen ni drefnu helfa drysor!"

Ddwedodd y lleill ddim gair – am tua deg eiliad – yna roedd pawb yn siarad blith-draphlith.

"Gallen ni guddio cliwiau dros Dregain i gyd!"

"Hei! Mega-hwyl!"

"Bydd e'n bril!"

"Ond sut gallwn ni?" gofynnodd Ffi. "Bydd raid i ni feddwl am gliwiau a fydd hynny ddim yn hawdd. Dwi'n meddwl bod taith nawdd yn syniad gwell o lawer."

"Ca' dy ben, Ffi!" meddai pawb mewn un côr.

"Ac achos 'mod i mor glyfar ac wedi meddwl am ddwy ffordd FFA-ntastig o godi arian . . ." dwedais.

"Ie-e-e?"

"Wel, dwi'n meddwl 'mod i'n haeddu cael cyfle i eistedd mewn twba o FFA pob," ychwanegais ar ras.

Edrychodd y lleill ar ei gilydd.

"Beth ych chi'n feddwl, ferched?" chwarddodd Ali. "Ydyn ni'n cytuno?"

"O, dos yn dy flaen!" giglodd Sara. "Ond paid â disgwyl i neb arall wneud. Iawn?"

Nodiais a dawnsio o amgylch y stafell.

Byddai'r Diwrnod Codi Arian yn wyllt, yn wallgo, yn HWYL! Ond yn gynta roedd raid i ni berswadio Mrs Parry na allai hi ddim gwrthod. Ac os wyt ti'n 'nabod Mrs Parry, rwyt ti'n gwybod mor anodd oedd hynny. Haws cael y Llipryn Llwyd i wenu. Wir i ti!

PENNOD PEDWAR

Drannoeth cyrhaeddon ni'r ysgol yn gynnar er mwyn sôn am ein cynlluniau wrth Mrs Parry.

"All hi ddim gwrthod," dwedais yn llawn hyder, "achos fydd hi ddim eisiau i bobl feddwl ei bod hi'n fenyw greulon."

Doedd y lleill ddim mor siŵr.

"Ond mae hi wastad yn canmol yr iwnifform ac yn dweud pa mor bwysig yw rhoi argraff dda," meddai Sara. "Ella na fydd hi'n hoffi'r syniad o ddewis dillad."

"Ac os yw hi wedi gwrthod cael helfa drysor cyn hyn, dyw hi ddim yn debygol o newid ei meddwl," meddai Ali'n drist.

"Wel, dim ond un person all roi'r ateb i ni," dwedais. "Dewch, dilynwch fi!"

Ro'n i wedi gweld Mrs Parry'n dod allan o'i char, ac ro'n i'n benderfynol o siarad â hi cyn iddi gyrraedd ei swyddfa. Ond pan ddaeth hi'n nes, fe welson ni'r olwg gynddeiriog ar ei hwyneb.

"Mae hi'n mynd i'n llyncu ni'n fyw!" sibrydodd Ffi.

Wrth gwrs, fe ddylwn i fod wedi cerdded i ffwrdd ar unwaith ar ôl clywed hynny, ond wnes i ddim.

"Mrs Parry, mae gyda ni syniad . . ." a dyma fi'n dechrau sôn am ein cynlluniau ar ras wyllt. Newydd grybwyll y Diwrnod-Dewis-Dillad o'n i, pan gododd hi ei dwy law.

"Helen Samuel, dwi'n gweld dy fod ti wedi cynhyrfu, ond dwi ar frys. Brys gwyllt."

Roedd hi'n dal i edrych yn gynddeiriog.

"Mae'n ddrwg gen i," sibrydais.

A dyma hi'n meddalu ychydig.

"Dewch i'r swyddfa amser chwarae. Bydd gen i fwy o amser bryd hynny."

Tynnodd ei chôt amdani'n dynn a martsio ar draws yr iard.

"O, da iawn, Sam!" meddai Ali'n sarcastig.

"Dwedodd hi wrthon ni am fynd i'w gweld hi amser chwarae, on'd do?" chwyrnais. Ond ro'n i'n ofni 'mod i wedi rhoi 'nhroed ynddi'n barod.

Drwy'r wers gynta bues i'n ymarfer beth i'w ddweud wrth Mrs Parry. Pan ganodd y gloch, roedd syniadau'n gwibio rownd fy mhen fel dillad mewn peiriant golchi. Ond beth os mai sbwriel fyddai'n tasgu allan, pan agorwn i 'ngheg?

"Wel, gorau po gynta i ni siarad â hi," dwedais wrth y lleill, pan oedden ni'n cerdded yn nerfus tuag at ei swyddfa.

"W, ydych chi wedi bod yn ferched bach drwg?" galwodd ein gelynion pennaf, Emma Davies ac Emily Mason – yr M&Ms! – pan sylweddolon nhw ble oedden ni'n mynd.

"Dim eto, ond falle bydda i'n ddrwg IAWN mewn munud," dwedais yn fygythiol, gan daro fy nwrn ar gledr fy llaw.

"Be wnawn ni os yw hi'n dal mewn tymer ddrwg?" sibrydodd Ffi, pan oedden ni'n sefyll o flaen y drws.

"Fe feddylia i am rywbeth," dwedais yn galonnog.

"O ferched, dewch i mewn." Agorodd Mrs Parry ddrws ei swyddfa a'n gwahodd i mewn. O leia roedd hi'n edrych yn fwy hapus erbyn hyn.

"Nawr beth oedd yn eich poeni chi bore 'ma? Fe glywais i rywbeth am gasglu arian tuag at Ward y Plant yn yr ysbyty. Beth am egluro popeth i fi, Helen? *Yn araf!*"

Cymerais anadl ddofn a dweud popeth wrthi. Soniais am ddamwain Sara, am y prinder o deganau a llyfrau i blant yn yr ysbyty, am y Diwrnod-Dewis-Dillad ac am yr helfa drysor. Ar ôl gorffen, roedd fy wyneb i'n boeth ac yn goch, ond gwenodd pawb arna i a chododd Ali ei bawd.

"Wel, diddorol iawn," meddai Mrs Parry, gan dynnu'i sbectol a syllu arnon ni. "Ro'n i wedi bod yn trio trefnu Noson Chwaraeon i godi arian eleni, ond ffoniodd y galwr bingo neithiwr i ddweud ei fod e'n methu dod. Fe ges i set o gwestiynau cwis gan rywun arall, ond doedden nhw ddim gwerth achos roedden ni wedi'u cael nhw o'r blaen."

Edrychon ni i gyd ar ein gilydd. Felly dyna pam oedd Mrs Parry mewn hwyliau gwael bore 'ma.

"Felly," ychwanegodd, "mae eich syniadau chi'n amserol iawn. Cynnal helfa drysor ar y Diwrnod Codi Arian, ddwedoch chi? Hmm. A thalu am wisgo eich dillad eich hunain – dwi'n siŵr y bydd hynny'n boblogaidd iawn. A gall yr athrawon . . ."

". . . wisgo *iwnifform* yn ein lle ni!" gwichiodd Ali.

Syllodd pawb arni'n syn. Doedd neb wedi sôn am hynny.

"O!" Roedd golwg syn iawn ar Mrs Parry hefyd. "Y . . . nid dyna oedd gen i mewn golwg. Ro'n i'n mynd i ddweud y gallai'r athrawon helpu i drefnu. Wel, ferched, gadewch i fi gael cyfle i feddwl dros y peth. Fe gewch chi'r ateb prynhawn 'ma."

Martsion ni allan o'r swyddfa.

"Oedd raid i ti ddweud hynna?" gwaeddais ar Ali cyn gynted ag i ni gyrraedd yr iard. "Roedd hi bron â chytuno â'n syniadau ni cyn i ti agor dy geg. Wyt ti'n gall, dywed? Alli di ddychmygu Mrs Parry'n gwisgo rhyw hen sgert stiwpid fel hon?"

"Ond mae hi *yn* gwisgo dillad eitha tebyg," protestiodd Sara.

"Ie, ond roedd Mrs Parry'n llyncu'r cyfan!" dwedais. "Ac wedyn roedd raid i Ali ddweud rhywbeth hollol ddwl. Be sy'n bod arnat ti, Ali?"

"Wel," meddai Ali gyda gwên. "Ro'n i'n meddwl ei fod e'n syniad doniol."

Fe ddwedais i fod Ali'n gallu bod braidd yn wyllt, on'd do? Wel, dyna i ti enghraifft.

"O leia mae'n syniadau ni'n fwy cyffrous na hen Noson Chwaraeon," meddai Sara'n llon.

Roedd pawb yn cytuno.

Serch hynny, roedd fy mol yn corddi drwy'r prynhawn. Be ddwedai Mrs Parry? Os na fyddai hi'n fodlon, byddwn i wedi siomi Jac a'r plant eraill yn yr ysbyty. Ro'n i'n teimlo mor sâl, allwn i ddim canolbwyntio ar y gwersi. Dwi'n aml yn ymddwyn yn od mewn gwersi mathemateg, felly wnaeth Mrs Roberts ddim sylwi. Ond allwn i ddim canolbwyntio ar chwaraeon hyd yn oed. Y wers chwaraeon oedd y wers ola, ac fel arfer dwi'n gallu chwarae pêl-rwyd a'm llygaid ynghau.

Wrth gwrs roedd yr M&Ms yn chwerthin ei hochr hi bob tro ro'n i'n gollwng y bêl, neu'n symud fy nhraed cyn taflu.

"Rwyt ti wedi cael llond pen gan Mrs Parry, yn dwyt?" chwarddodd Emma Davies. Dim ond giglan yn ddwl wnaeth Emily 'Stiwpid' Mason. Chwibanodd Miss Beynon.

"Dewch, ferched. 'Mlaen â'r gêm! Tafliad rhydd i dîm Emma – unwaith *eto*! Canol-bwyntia, Sam! Be sy'n bod arnat ti heddi?"

Pan welais i Emma ac Emily'n tynnu wynebau arna i, fe gollais fy nhymer yn lân. Roedd y bêl yn dal yn fy llaw ac yn lle 'i thaflu hi atyn nhw, fe rois i ffling iddi. CLEC! Trawodd y bêl fraich Emma a dechreuodd hi sgrechian yn union fel petai Joe Calzaghe wedi rhoi bonclust iddi.

"Rwyt ti mewn trwbwl nawr!" chwyrnodd Emily gan edrych dros fy ysgwydd. "Mae Mrs Parry'n dod."

Allwn i ddim credu. Oedd raid iddi ddod y funud hon? Fyddai hi byth yn cytuno nawr.

"Alla i gael gair â ti, Helen?" galwodd. "Fydda i ddim chwinc."

Es i ati a 'nghalon yn suddo. Doedd Emma ddim help.

"Mae ar ben arnat ti nawr, Samuel!" meddai drwy'i dagrau.

Roedd Sara wedi bod yn gwylio'r gêm a dyma hi'n hercian tuag ata i. Brysiodd Ali, Ffi a Mel draw hefyd.

"Ferched!" galwodd Miss Beynon. "Dyw Mrs Parry ddim eisiau'ch gweld chi."

Ond dyma Mrs Parry'n eu galw nhw'n ôl.

"Mae gen i neges i chi'ch pump!" meddai heb wên ar ei hwyneb. Dalion ni'n hanadl.

"Nawr 'te, Helen," meddai'n araf. "Yn gynta ga i ddweud hyn . . ."

Roedd fy nghalon yn curo fel drwm.

"Rydych chi i gyd wedi dangos tipyn o fenter!" Gwenodd. "Dwi wedi derbyn eich syniadau chi!"

Dechreuon ni sboncio'n gyffrous.

"Nawr, ydych chi'n sylweddoli faint o waith sydd o'ch blaenau?"

"O, ydyn, Mrs Parry!" Gwnes i 'ngorau i

swnio'n ddoeth. "Rydyn ni wedi meddwl am gynlluniau'n barod."

"Da iawn, wel fe gewch chi ddweud wrtha i ar ôl ysgol ddydd Gwener. Byddwn ni'n cynnal ein Diwrnod Codi Arian blynyddol ar ddydd Sadwrn cynta hanner tymor, sy mewn pythefnos. Felly, os cawn ni ddiwrnod Dewis-Dillad ar ddydd Gwener, gallwn ni gynnal yr helfa drysor ar ddydd Sadwrn. Dau gyfle i sgorio fel petai!" Dechreuodd Mrs Parry chwerthin. "Bydd gyda chi ddigon o amser i drefnu, yn bydd?"

"O bydd!" Nodiais fy mhen yn gall iawn. Roedd y lleill bron â chael ffit, ond edrychais i ddim arnyn nhw.

"Dwi wedi gofyn i Mrs Roberts a fydd hi'n fodlon i'ch dosbarth chi wneud posteri yn y wers gelf, ac mae hi wedi cytuno. O'r gore, fe wela i chi yn y swyddfa ar ôl ysgol ddydd Gwener. A llongyfarchiadau unwaith eto am ddangos cymaint o fenter!"

Arhoson ni nes iddi fynd o'r golwg ac yna fe ddechreuon ni sgrechian chwerthin. Pan oedd pawb wedi tawelu, meddai Ali:

"Menter, wir! Mae eisiau mwy na menter arnon ni. Os ydyn ni am lwyddo, mae angen gwyrth!"

Ac yn sydyn fe sylweddolon ni faint yn union o waith oedd o flaen y Clwb Cysgu Cŵl. Os oedden ni am drefnu digwyddiad mor enfawr, roedd raid i ni fod yn glyfar ac yn benderfynol. Ac a dweud y gwir wrthot ti, am unwaith ro'n i'n amau a oedd hynny'n bosib . . .

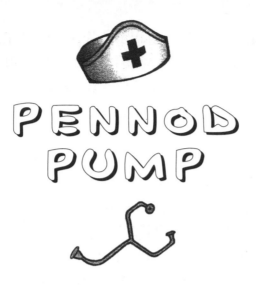

PENNOD PUMP

Pan oedden ni'n newid ar ôl y wers chwaraeon, dechreuon ni wylltu'n lân.

"Beth ydyn ni'n mynd i'w wneud?" gofynnodd Ffi'n ofidus. "Dwedaist ti gelwydd wrth Mrs Parry. Trefnu, wir! Dydyn ni ddim wedi trefnu o gwbl!"

"Bydd y cyfan yn draed moch, betia i chi," cwynodd Sara.

"Hei, mae gyda ni tan ddydd Gwener i feddwl am syniadau, on'd oes?" dwedais yn galonnog. "Ac mae pawb yn dod adre gyda fi nawr. Fe ddechreuwn ni ar y gwaith yn syth. Hawdd-pawdd!"

Dwi ddim yn meddwl bod y lleill wedi credu gair, a doeddwn i ddim yn hollol siŵr 'mod innau'n credu chwaith. Ond mae'n rhaid i chi gael ffydd, meddai Mam, neu wnewch chi ddim byd.

Allwn ni ddim symud yn gyflym iawn y dyddiau hyn am fod Sara ar ffyn baglau. Pan gyrhaeddon ni adre o'r diwedd, roedd syched mawr arnon ni. Felly fe gawson ni egwyl i yfed Coke, wedyn egwyl arall i fwyta creision, ac yna roedd hi bron yn amser i bawb fynd adre.

"O, dewch 'mlaen. Rhaid i ni feddwl am *rywbeth*," meddai Ffi'n ddiamynedd. "Ond ble mae dechrau?"

"Wel, dwi'n meddwl y dylen ni ganolbwyntio ar yr helfa drysor," awgrymodd Ali. "Does dim rhaid i ni drefnu ar gyfer y Diwrnod-Dewis-Dillad, dim ond dweud wrth bawb ac yna casglu'r arian."

"Rwyt ti'n iawn," cytunais. "Ac mae Mrs P. wedi dweud y byddwn ni'n gwneud posteri yn y dosbarth celf. Bydd pawb yn gwybod am y Dewis-Dillad pan welan nhw'r posteri o gwmpas yr ysgol."

"Iawn 'te, beth am yr helfa drysor?" gofynnodd Mel.

Eisteddon ni i gyd fel delwau. Roedden ni wedi awgrymu helfa drysor sawl gwaith, fel dwedais i. Awgrymu a dim mwy. Doedden ni erioed wedi meddwl ble i fynd, sut i sgrifennu'r cliwiau na dim.

"Mi fedren ni guddio cliwiau yn ein gerddi ni," awgrymodd Sara. "Un cliw ym mhob gardd fel gwnaeth brodyr Mel y tymor dwetha."

"Cliwiau heb jôcs erchyll ynddyn nhw," ochneidiodd Mel. Roedd ei brodyr wedi chwarae tric ysbryd arni ac wedi'i dychryn yn dwll – ond stori arall yw honno!

"Dwi'n meddwl y dylen ni yrru pobl i bob math o lefydd gwahanol," meddai Ali'n feddylgar. "Dydyn ni ddim eisiau i'r cliwiau fod yn rhy hawdd."

"Ond beth os na fydd neb eisiau cymryd rhan?" meddai Mel.

"Rhaid i ni gynnig gwobr enfawr i'w denu nhw," meddai Ffi.

"Hei, syniad da, Batman!" chwarddais, gan ei tharo ar ei chefn a gwneud iddi dagu. "Rhaid i ni gael gwobr fydd yn costio dim i ni!"

"Haws dweud na gwneud," meddai Ali gan dynnu wyneb. "Gallen ni i gyd roi un o'n pethau ni, falle."

"Na!" Ysgydwais fy mhen. "Rhaid i ni gael gwobr fydd yn apelio at bawb. Falle bydd rhieni eisiau cymryd rhan a fyddan nhw ddim eisiau ennill hen gryno-ddisgiau neu gylchgrawn pêl-droed."

"Dylen ni gael cwmni mawr i noddi'r helfa drysor," meddai Ali ar ôl munud fach o dawelwch.

"Beth wyt ti'n feddwl? Noddi pobl i gymryd rhan?" gofynnodd Ffi. Roedd hi wedi drysu'n lân.

"Nage, dymi. Nhw fydd yn rhoi'r wobr!" chwarddodd Ali.

Eisteddodd pawb yn llonydd a meddwl yn galed. Pwy allai'n helpu ni? Yna sylwais ar fag siopa yn y gornel.

"Dwi'n gwbod! Dwi'n gwbod!"

Neidiais ar fy nhraed, dringo ar y soffa a dechrau sboncio fel broga.

"Beth am siop Pricebusters? Mae'r cwmni wastad yn helpu achosion da yn y dre. Dwi'n siŵr y bydden nhw'n fodlon helpu. A gallen nhw roi ffa pob i fi ar gyfer y bàth!"

Gwaeddodd y lleill dros y lle a neidio lan yn fy ymyl i ar y soffa. Pawb heblaw Sara, wrth gwrs. Hopian ar y carped wnaeth hi.

Yn sydyn dyma fy chwaer erchyll, Bethan Bwystfil, yn taranu drwy'r drws.

"MAM!" gwaeddodd ar dop ei llais. "Mae Sam yn sboncio ar y soffa eto. Wyt ti am i fi ei thaflu hi i lawr cyn iddi ddifetha popeth?"

Neidion ni oddi ar y soffa ar unwaith. Erbyn i Mam ddod i mewn, roedden ni'n eistedd yn dawel ac yn esgus gwneud nodiadau am yr helfa drysor. Wnaethon ni ddim twyllo Mam wrth gwrs. Roedd hi wedi sylwi ar ein hwynebau coch ni.

"Paid â hel clecs, Bethan!" dwrdiodd, gan amneidio ar Bethan i adael y stafell. "A Sam, rwyt ti wedi difetha dy wely dy hun, felly paid ti â difetha celfi pawb arall hefyd."

"Mae'n ddrwg gen i, Mam," mwmianais. Yna gwenais fel angel arni. "Fydd hi'n iawn i fi fynd i'r archfarchnad ar ôl ysgol fory? Dwi eisiau cael gair â'r rheolwr. Ac wyt ti'n fodlon i ni gael cyfarfod fan hyn mewn pythefnos i ddathlu?"

Edrychodd Mam yn ofalus o un i'r llall.

"Dathlu beth, Sam? Gwell i ti egluro popeth wrtha i. Dwi'n ddigon bodlon i chi gael cyfarfod, cofiwch."

"Hwr-êêê!" gwaeddodd y lleill.

"Ond," meddai Mam gyda golwg ddifrifol iawn ar ei hwyneb, "os oes gyda chi rhyw gynllun hanner call ar y gweill, gwell i chi i gyd siarad â'ch rhieni. Ac erbyn meddwl . . ." – edrychodd ar ei watsh – "mae'n bryd i chi fynd adre."

Ac allan â hi.

"Iawn, dyma'r cynllun," dwedais wrth y lleill cyn iddyn nhw adael. "Fe soniwn ni am yr helfa drysor wrth ein rhieni heno a falle gallan nhw'n helpu ni."

"Ond dwedaist ti mai ni fyddai'n trefnu," cwynodd Ffi.

"Fe wnawn ni gymaint ag sy bosib, ond allwn ni ddim gwneud popeth, allwn ni?" dwedais. "A dydyn ni ddim eisiau llanast llwyr. Cofiwch bwysleisio ein bod ni'n codi arian tuag at Ward y Plant. Maen nhw'n siŵr o helpu wedyn. Ocê?"

Nodiodd pawb, hyd yn oed Ffi.

"A gwell i chi ofyn caniatâd i fynd i'r archfarchnad fory hefyd. Achos os na chawn ni lwc fan'ny, dyna ddiwedd ar ein cynlluniau ni!" dwedais yn bendant.

"Ond byddwn ni'n dal i gael cyfarfod o'r Clwb, yn byddwn ni?" gofynnodd Sara.

"Wrth gwrs!" snwffiais. "Dim ond argyfwng ENFAWR allai stopio *hwnnw*!"

Drwy lwc, daeth y lleill i'r ysgol drannoeth â newyddion calonogol iawn. Nid yn unig roedd pawb yn gallu dod i'r cyfarfod, ond hefyd roedden nhw wedi cael caniatâd i ddod gyda fi i'r archfarchnad ar ôl ysgol. Ar ben hynny, roedd eu rhieni'n fwy na bodlon i helpu gyda'r helfa drysor. Fe wnaeth Dad awgrymu gadael cliw yn ei syrjeri ar ddarn o'i bapur sgrifennu arbennig, cofia! Roedd hynny'n beth dewr iawn i'w wneud, achos mae'r fenyw sy'n gweithio'n y dderbynfa yn hen ddraig ac mi fyddai hi'n casáu gweld criw o 'helwyr' yn rhuthro i mewn i'r syrjeri!

"Mae Dad wedi dweud y gallwn ni guddio cliwiau yn ei hen lestri di-siâp," cyhoeddodd Mel. Athro celf yw ei thad ac mae ganddo weithdy yn y tŷ lle mae e'n gwneud llestri.

"A dwedodd Mam y cawn ni guddio cliwiau yn ein gardd ni – os gofalwn ni beidio â mynd yn agos at y domen sbwriel!" giglodd Sara. "Byddai Ian wrth ei fodd. Roedd o'n gyffrous iawn pan ddwedais i'r hanes!"

"Mae Mam a Dad yn fodlon helpu, os bydd Eli'n caniatáu," meddai Ali. "Beth am dy fam di, Ffi?"

"Wel, mae hi braidd yn brysur yn paratoi ar gyfer y briodas a phopeth," meddai.

Tynnodd pawb arall wynebau ar ei gilydd. Mae mam Ffi'n priodi mewn deufis ac mae Ffi'n sôn am y peth yn ddi-stop.

"Ond," ychwanegodd Ffi, "dwedais i wrth Anti Mai a dwedodd hi y gallen ni adael cliw yn yr Aelwyd. Dwedodd hi am roi'r cliw'n sownd wrth daflen wybodaeth yr Urdd, er mwyn i ni geisio cael rhagor o aelodau. Mae hi'n fodlon eu dosbarthu nhw ei hunan."

"O, gwych, Ffi!" chwarddodd pawb. "Am syniad da!"

Roedden ni i gyd ar dân erbyn cyrraedd yr ysgol. Ac roedd pethau'n gwella bob munud. Roedd yr M&Ms yn dal i gwyno am yr helynt yn y gêm bêl-rwyd, ac fe wylltion nhw'n gacwn pan soniodd Mrs Roberts am y prosiect celf.

"Mae hwn yn brosiect arbennig iawn, achos mae'r posteri'n mynd i hysbysebu cynllun codi arian a ddyfeisiwyd gan aelodau o'n dosbarth ni. Beth am i ti sôn amdano wrth bawb, Helen?"

Dwi'n *casáu* cael fy ngalw'n Helen. Ond fe anghofiais i'n llwyr am hynny pan welais i wynebau'r M&Ms – roedden nhw'n WALLGO! Ac i'w gwylltio nhw'n fwy, fe ddwedais i fod Mrs Parry wedi canmol ein cynlluniau ni i'r cymylau. Roedd Emily ac Emma'n edrych mor sâl erbyn i fi orffen, ro'n i'n dechrau meddwl eu bod nhw am daflu i fyny yn y dosbarth!

Fe fuon ni'n gweithio mewn grwpiau i wneud y posteri. Roedd ein poster ni'n edrych yn cŵl iawn. Ond syrpreis, syrpreis – fe sarnodd yr M&Ms baent dros eu poster nhw, felly doedd dim posib ei ddefnyddio. Am blentynnaidd! Allen ni ddim help chwerthin am ben eu hwynebau sur wrth i ni gerdded i'r archfarchnad ar ôl ysgol.

"O leia fyddan *nhw* ddim yn cymryd rhan yn yr helfa drysor," gwenodd Mel. "Byddan nhw'n rhy genfigennus!"

Fe dawelon ni rywfaint wrth nesáu at Pricebusters. Fel ti'n gwybod, dwi byth yn nerfus (wel, bron byth), ond pan gyrhaeddon ni'r archfarchnad, roedd fy mol i'n corddi.

"Os na fydd y rheolwr yn cytuno, bydd hi ar ben arnon ni," meddai Ffi'n ddwys.

"Beth os ydy o'n un ffyrnig?" meddai Sara gan grynu. "Ella bydd o'n gweiddi arnon ni!"

"Diolch am godi 'nghalon i, mêts!" dwedais yn llon – er doeddwn i ddim yn teimlo'n llon o gwbl.

Roedden ni newydd gamu drwy'r drws ac yn trio penderfynu ble oedd swyddfa'r rheolwr, pan ddaeth dyn enfawr tuag aton ni. Mor fawr ag Ysbaddaden Ben Cawr!

"Alla i'ch helpu chi, ferched?" taranodd. "Mae golwg ddryslyd iawn arnoch chi."

"R-r-rydyn ni'n chwilio am swyddfa'r rheolwr," gwichiais.

Gwenodd y dyn o glust y glust. "Wel, 'na lwcus ych chi. Dwi ar fy ffordd yno."

Dyma ni i gyd yn ei ddilyn ar hyd rhesi o goridorau, gyda ffyn baglau Sara'n clecian ar y llawr. O'r diwedd fe stopion ni o flaen drws gyda'r enw RHEOLWR arno. Agorodd y dyn y drws a'n gwahodd ni i mewn.

"Nawr sut galla i'ch helpu chi?" gofynnodd a'r wên yn dal ar ei wyneb. "Gadewch i fi gyflwyno fy hunan. Jeff Hicks ydw i, rheolwr y lle 'ma!"

"W-wel, fel hyn mae hi . . ." mwmianais.

"Rydyn ni'n trefnu helfa drysor i godi arian tuag at Ward y Plant yn Ysbyty Glangwili," meddai Ali'n hamddenol. "Ac roedden ni'n meddwl tybed a allech chi, neu Pricebusters, ein helpu ni?"

"Dwi'n gweld." Roedd Mr Hicks yn dal i wenu. "Rydych chi eisiau i fi roi bagiau i chi i ddal y cliwiau, ydych chi?"

"Wel, na . . ." Edrychodd Ali braidd yn anghysurus. "Beth oedd gen i mewn golwg . . ."

"Ond mae hwnna'n syniad gwych!" dwedais

ar unwaith a'm meddwl ar dân. "Gall y cliw cynta gyfeirio pawb at y siop, ac yna fe gân' nhw fag i gario gweddill y cliwiau."

"Beth am wobr?" Clywais i Ffi'n sibrwd wrth Mel. "Ro'n i'n meddwl ein bod ni'n mynd i ofyn am wobr."

Pan fydd Ffi'n sibrwd mae hi'n gwneud mwy o sŵn nag eliffant yn cerdded drwy becyn o cornfflêcs. Pan sylweddolon ni fod Mr Hicks wedi clywed hefyd, aeth wyneb pawb yn goch, ond dim ond chwerthin wnaeth y rheolwr.

"Dwi'n gweld! Mae disgwyl i fi wneud mwy na rhoi bagiau!" chwarddodd. "Wel, dwi'n meddwl y gallen ni drefnu rhywbeth ar eich cyfer. Beth am gynnig Troli Chwim-ac-am-Ddim i'r tîm buddugol, sef y cyfle i siopa am un funud heb orfod talu? Syniad da?"

"Cŵl!"

Roedden ni i gyd yn codi bawd, pan sylwais i fod Mr Hicks yn syllu ar lun ar ei ddesg – llun merch fach. Roedd hi'n gwisgo ffrog ddel ac yn gwenu ar y camera.

"Eich merch chi yw honna?" gofynnais.

"Ie." Gwenodd Mr Hicks, ond roedd ei wên

braidd yn drist. "Mae'n od eich bod chi wedi dod i ofyn am arian tuag at Ward y Plant heddi, achos mae Megan yn yr ysbyty ar hyn o bryd."

"Be sy'n bod arni?" gofynnodd Sara.

"Rhyw nam ar yr afu. Mae'n gorfod mynd i'r ysbyty bob yn hyn a hyn i gael profion. Cyn iddi allu cael triniaeth mae'n rhaid gwneud yn siŵr ei bod hi'n ddigon cryf."

Aethon ni i gyd yn dawel iawn. Wydden ni ddim beth i'w ddweud.

"Dyna pam dwi'n meddwl bod eich syniad chi mor wych." Sioncodd Mr Hicks. "Oes rhywbeth arall alla i ei wneud i chi?"

Ysgydwodd y lleill eu pennau.

"Wel, mae 'na un peth, fel mae'n digwydd," dwedais wrtho. "Dwi'n mynd i eistedd mewn bàth o ffa pob i godi arian, ac ro'n i'n meddwl . . ."

". . . tybed a fyddai Pricebusters yn gallu cyfrannu'r ffa. Iawn?" meddai gyda gwên.

Nodiais. Un craff iawn oedd Mr Hicks.

"Wel, a dweud y gwir, ro'n i'n arfer ffansïo gwneud hynny fy hunan," meddai – ac roedd e o ddifri! "Dwi'n siŵr y gallwn ni gael gafael ar ddigon o ffa i roi bàth teidi i ti. Os wyt ti eisiau twba, mae gyda fi un o'r rheiny hefyd. Fe ddefnyddion ni ddau dwba i hysbysebu *bubble bath* newydd fis dwetha."

"Allwn ni orffen yr helfa drysor fan hyn 'te?" gofynnais yn eiddgar. "Mae Pricebusters yn llawn dop bob dydd Sadwrn, felly os ca i'r bàth fan hyn, fe gasgla i lwyth o arian. O, wnaethon ni ddweud wrthoch chi fod yr helfa drysor ymhen pythefnos?"

Ro'n i'n gwybod 'mod i'n siarad fel pwll tro. Ond ro'n i mor gyffrous ac mor falch fod popeth yn disgyn i'w le.

"Popeth yn iawn, dim ond i fi gael rhai o'ch posteri chi i'w hongian yn y siop. A bydd angen y manylion i gyd arna i hefyd," meddai Mr Hicks. "Nawr, os gwnewch chi fy esgusodi i, ferched, mae gyda fi bentwr o waith papur i'w wneud. Fe ddangosa i'r ffordd allan i chi'n gynta."

A dyma fe'n ein harwain ni ar hyd y rhesi o goridorau at y drws ffrynt ac yna'n codi'i law arnon ni.

Ar ôl mynd o olwg y siop fe ddechreuon ni sboncio fel brogaod.

pan gawson ni ein cyfarfod cynta. Awgrymodd Sara y gallai'r athrawon atgoffa'u dosbarthiadau bob dydd. Ond roedd gan Mrs Parry well syniad. Awgrymodd hi y dylen ni godi ar ein traed a sôn amdano yn y gwasanaeth.

Waw, dyna i ti dasg anodd. Yn enwedig gan fod yr M&Ms stiwpid yn mynnu codi eu dwylo a gofyn cwestiynau hanner call.

"Beth ddylen ni wisgo yn lle iwnifform?" gofynnon nhw, fel petaen nhw'n hollol dwp (sy'n wir, mwy na thebyg).

"Unrhyw beth fynnwch chi," atebodd Ali.

"Beth? Pyjamas?" giglodd Emily Mason.

"Ie, os wyt ti eisiau edrych fel babi clwt," chwyrnais.

Dwi'n meddwl bod Mrs Parry wedi sylweddoli fod pethau'n mynd dros ben llestri, felly fe gymerodd hi drosodd. Ond daliodd yr M&Ms ati i'n pryfocio ni ddydd ar ôl dydd.

"Rydyn ni wedi dweud wrth bawb eich bod chi'n mynd i gadw'r arian i chi'ch hunain, yn lle ei roi i'r ysbyty," snwffiodd Emma'n gas. "Felly peidiwch â synnu os na fydd neb yn cefnogi'ch Diwrnod-Dillad-Dwl chi."

"A bydd yr helfa drysor yn llanast llwyr, os

mai *chi* sy'n trefnu," meddai Emily-erchyll. "Bydd neb yn cefnogi honno chwaith, betia i chi."

Ro'n i'n barod i'w cwffio nhw – wir! – ond tynnodd Ali fi'n ôl.

"Paid! Dyna'n union be maen nhw eisiau i ti wneud," sibrydodd.

"Ond pa hawl sy ganddyn nhw i ddweud pethau fel'na?" chwyrnais. "Fydden ni *byth* yn cadw'r arian!"

"Ond beth os ydyn nhw'n dweud y gwir?" gofynnodd Ffi.

"Beth?" llefodd pawb mewn braw.

"Beth os na fydd neb yn cefnogi'r Diwrnod-Dewis-Dillad na'r helfa drysor?" eglurodd.

"Wyt ti'n gall?" meddai Ali. "Mae pawb yn yr ysgol wrth eu boddau. Maen nhw'n edrych 'mlaen at y Diwrnod-Dewis-Dillad."

"A phan es i â phosteri'r helfa drysor i Pricebusters ddoe, dwedodd Mr Hicks ei fod wedi dweud wrth lwyth o bobl ac roedd pawb yn dangos diddordeb," meddai Sara'n falch.

"Ac fe ofalwn ni fod popeth yn mynd yn hwylus," dwedais innau'n bendant.

Ond haws dweud na gwneud. Wyt ti wedi

trefnu helfa drysor erioed? Oes gen ti syniad faint o waith mae'n ei olygu? Fe ddweda i wrthot ti. Llwyth enfawr!

Y pnawn hwnnw fe gwrddon ni i gyd yn nhŷ Ali. Roedden ni'n benderfynol o roi trefn ar bopeth unwaith ac am byth. A'r peth cynta i'w wneud oedd penderfynu i ble fyddai'r helfa'n mynd.

"Rydyn ni'n dechrau yn yr ysgol. Iawn?" meddai Ali. "A bydd y cliw cynta'n gyrru pawb i Pricebusters i gasglu bag plastig."

"A bydd yr ail gliw yn y bag!" awgrymodd Ffi. Ond yna fe ailfeddyliodd. "Ond allwn ni ddim rhoi cliw ym mhob bag sy yn y siop, allwn ni?"

"Bydd raid i ni osod bwrdd arbennig y tu allan," meddai Sara. "Ond rhaid i rywun ofalu amdano."

"Dwi'n siŵr bydd Mam neu Dad yn fodlon," cynigiodd Ali. "Gan mai hwnna yw'r cliw cynta, fydd dim rhaid iddyn nhw aros yno am hir."

"Bril! A gall y cliw nesa eu gyrru nhw i syrjeri Dad," awgrymais. "Ond ble allan nhw fynd wedyn?"

Fe drefnon ni i adael cliwiau yn yr Aelwyd ac yng ngardd Sara. Ac yna byddai'r helfa'n gorffen yn yr archfarchnad.

"Ond dydy hynna ddim yn ddigon, ydy o?" Crychodd Sara'i thrwyn. "Mae'n dipyn o ffordd i gerdded, wrth gwrs, ond bydd pawb wedi gorffen cyn i ni gael cyfle i fynd yn ôl i Pricebusters. Ac mae'n rhaid i ni drefnu bàth ffa pob Sam. Beth am feddwl am un cliw arall?"

Meddylion ni i gyd yn galed iawn. A thrwy gydol yn amser roedd Ffi'n pigo farnis oddi ar ei hewinedd.

"Stopia hi, wnei di!" dwrdiais. "Does gyda dy fam druan ddim amser i beintio ewinedd ei babi bach annwyl hi, oes e?"

"Hei, Ffi! Falle gall dy fam beintio ewinedd pobl yn ystod yr helfa drysor!" gwaeddodd Ali. "Byddai hynny'n arafu pawb!"

"Waw! Cŵl!"

"D . . . dwi ddim yn meddwl," gwichiodd Ffi.

"Ond beth petai pawb yn galw yn salon dy fam i gael smotyn o'r farnis diweddara ar y papur cliw?" awgrymodd Mel. "Byddai hynny'n hysbyseb wych a falle bydd dy fam yn cael llond lle o gwsmeriaid newydd wedyn!"

Ro'n i'n gallu gweld Ffi'n pendroni. Gwaith ei mam yw helpu pobl i goluro ac edrych yn bert – ac mae Ffi'n hoffi dweud pa mor dda yw hi.

"Fe ofynna i iddi," meddai'n araf. "Dwi'n meddwl y bydd popeth yn iawn."

"Grêt!" Rhwbiodd Ali ei dwylo. "Sgrifennu cliwiau amdani 'te!"

Nawr dwi ddim yn gwybod pa mor dda wyt ti am sgrifennu barddoniaeth, ond dwi'n hollol anobeithiol! Felly roedd meddwl am gliw yn anodd dros ben. Roedd hyd yn oed Ali'n ei chael hi'n anodd, er ei bod hi'n dda iawn am sgrifennu.

"Dwi ddim yn gwbod ble i ddechrau," cwynodd gan grafu'i phen â'i beiro.

Roedden ni'n dal i chwysu, pan ddaeth mam Ali i mewn gydag Eli yn ei breichiau.

"Hei, ferched! Mae golwg boenus arnoch chi! Be sy'n bod?" gofynnodd.

Egluron ni beth oedd y broblem.

"W, ro'n i'n dwlu ar bethau fel'na pan

o'n i'n ifanc!" gwichiodd. "Dewch i fi gael gweld."

Dangoson ni'r darn o bapur lle roedden ni wedi nodi cuddfan pob cliw.

"Felly byddwch chi'n casglu'r cliw cynta o'r ysgol a bydd hwnnw'n mynd â chi i Pricebusters. Iawn? A bydd y cliw nesa mewn bag plastig ar y bwrdd."

Estynnodd hi'r babi i Ali a dechrau nodi ychydig o eiriau ar y papur.

"A! Dyma ni!" chwarddodd cyn pen chwinc. "Beth am:

P'un yw'r lle sy'n TORRI PRIS?
Ewch chi yno nawr ar frys.
Sut mae cario'r cliw i ffwrdd?
Cofiwch edrych ar y BWRDD!

Ydy hynna'n iawn?" meddai gan wenu o glust i glust.

"Cŵl!" cytunodd pawb.

"Nawr, beth nesa?" gofynnodd yn gyffrous.

"Mam!" meddai Ali mewn braw. "Cydiwch yn y babi nawr a mas â chi. Ein cynllun ni yw hwn. Diolch am eich help, ond byddwn ni'n iawn nawr."

Fe wnaeth mam Ali esgus pwdu, ond roedd hi'n amlwg yn falch iawn ei bod hi wedi gallu'n helpu ni.

Fe gymeron ni gliw yr un a gweithio arno. Erbyn diwedd y prynhawn roedden ni i gyd wedi nodi syniadau a'u darllen i'r lleill. Roedd pob un ohonon ni'n weddol siŵr y gallen ni sgrifennu cliw teidi erbyn diwrnod yr helfa drysor. Ond roedd gyda ni broblemau eraill.

Yn y cyfarfod gyda Mrs Parry roedden ni wedi gwneud rhestr o bethau pwysig i'w gwneud – cael sgwrs arall gyda Mr Hicks yn y siop, er enghraifft, a threfnu ble oedd pawb i sefyll. Y sioc gynta oedd fod mam Ffi wedi dweud nad oedd hi eisiau bod yn rhan o'r helfa. Nid mewn siop mae ei salon hi, ond mewn stafell wely yn y tŷ. A ti'n gwybod pa mor dwt yw hi! Mae'n casáu gweld pobl yn cario baw dros y tŷ. Ond fe setlodd Mrs Parry'r broblem drwy awgrymu y gallai hi osod bord yn yr ardd ffrynt. Doedd mam Ffi ddim yn hoffi'r syniad hwnnw chwaith, dwi' ddim yn meddwl, ond gan fod rhieni pawb arall yn cymryd rhan, feiddiai hi ddim cwyno!

Roedd yn beth od. Roedden ni wedi canolbwyntio cymaint ar yr helfa drysor, anghofion ni bopeth am y Diwrnod-Dewis-Dillad. Oni bai bod yr M&Ms wedi dechrau'n pryfocio ni ar y dydd Iau, fydden ni ddim wedi sylweddoli bod y diwrnod hwnnw bron â dod.

"Oes gyda chi lond bocs o facynon papur ar gyfer fory?" giglodd y ddwy.

"Pam?"

"I sychu'ch dagrau, pan welwch chi fod neb yn cefnogi'r Diwrnod-Dillad-Dwl!" sgrechion nhw.

"Caewch eich pennau!" gwaeddais ac i ffwrdd â nhw gan chwerthin.

"Beth os ydyn nhw'n iawn?" meddai Ffi'n ofidus.

"Dim byth!" meddai Ali'n llawn hyder. "Does neb yn mynd i wrthod cyfle i wisgo dillad trendi."

Roedd hynny'n gwneud synnwyr. Ond fore drannoeth, pan oedden ni ar ein ffordd i'r ysgol, doedd pethau ddim yn edrych yn dda o gwbl. Roedd pawb – pawb yw pawb! – mewn iwnifform.

"Ond nid ein hiwnifform ni yw hi, twpsen!" chwarddodd Ali pan ddwedais i wrthi. "Disgwyl am y bws i fynd i Ysgol Santes Fair mae'r plant draw fan'na. Does neb o'n hysgol ni wedi cyrraedd eto."

Roedd hi'n iawn. Roedden ni wedi cyrraedd yn gynnar. Hir iawn pob aros! Ble oedd pawb? Ffi oedd y nesa i gyrraedd. Roedd hi'n gwisgo'i sgert fer newydd, sodlau uchel a llwyth o golur.

"Ddwedaist ti ddim mai Diwrnod-Dillad-Ffansi oedd e!" sibrydais yng nghlust Ali.

Daeth gwich o chwerthin oddi wrth Ali ond llwyddodd i longyfarch Ffi ar ei gwisg heb wên ar ei hwyneb. Cyrhaeddodd Sara a Mel yn fuan wedyn, ac fe rois i fwced plastig yr un i bawb i ddal y darnau 50c.

"Waw! Dwi'n hoffi'r crys Abertawe, Sam!" Mr ap Gwyn oedd yno. Roedd e'n gwisgo siorts llwyd, crys a thei, ac roedd cap ysgol hen ffasiwn ar dop ei ben. Mega!

"Dylech chi wisgo fel'na'n fwy aml, Syr.

Mae'r dillad yn eich siwtio chi!" giglais, gan estyn y bwced ato.

"Dim ond eu gwisgo nhw er mwyn yr achos ydw i!" meddai gyda gwên ddwl, ac i mewn ag e.

Mrs Parry gyrhaeddodd nesa. Ar yr olwg gynta doedd hi wedi newid dim. Ond pan ddaeth hi'n nes, fe sylwon ni ei bod hi'n gwisgo tei dros ei blowsen, a sanau byr. Roedd hi wedi plethu'i gwallt hefyd. Bril!

"O leia mae hi'n frwdfrydig," meddai Sara. "Gobeithio bydd pawb arall 'run fath."

"Pawb, wir!" sibrydodd Ffi, gan roi proc i fi. "Edrych pwy sy draw fan'na!"

Edrychon ni i gyd – a phwy oedd yno ond yr M&Ms dwl yn eu hiwnifform arferol. Roedd y ddwy'n gwenu fel cathod Caer.

"O, druan â chi! Mae'ch diwrnod mawr chi'n fethiant llwyr!" snwffiodd Emma Davies yn sbeitlyd.

"Paid ti â bod mor siŵr!" dwedais yn bwt. "Chi fydd yn edrych yn stiwpid."

"Yn stiwpid iawn!" chwarddodd Ali. "Drychwch y tu ôl i chi!"

Roedd criw enfawr o blant yn dod ar draws

yr iard. Roedden nhw'n gwisgo jîns, tracwisgoedd a phob math o ddillad trendi. Roedd pawb wedi bod yn aros rownd y gornel rhag ofn mai nhw oedd yr unig rai heb iwnifform. Roedd casglu'r arian heb gael ein gwasgu'n fflat yn dipyn o gamp. Ond dyna i ti sioe oedd wynebau'r M&Ms! Roedd hyd yn oed eu ffrindiau Alana 'Banana' ac Amanda Porter wedi dod yn eu dillad eu hunain. A dylet ti fod wedi clywed yr M&Ms yn gweiddi arnyn nhw! Bril!

Daeth Mrs Parry mas i weld sut oedd pethau'n mynd. Fe gymerodd hi fwced Ffi a chasglu arian am dipyn. Roedd e'n anhygoel! Roedd y bwcedi'n mynd yn llawnach ac yn llawnach ac yn drymach ac yn drymach. Erbyn i'r gloch ganu, roedd fy mreichiau bron â thorri.

"Dewch mlaen, giang!" gwaeddais wedi i'r plant ola gyrraedd. "Gwell i ni fynd â'r arian 'ma i mewn!"

Erbyn hynny ro'n i bron â marw eisiau mynd i'r tŷ bach. Ro'n i wedi gadael y tŷ mor gynnar, ti'n gweld. Gadewais y bwcedaid o arian ar y fainc a rhuthro i'r toiledau gyda'r lleill yn dilyn. Clywais i Mrs Parry'n siarad tu fas. Ro'n i'n gwybod y dylwn i fynd i ddweud wrthi ein bod ni wedi llwyddo mas draw, ond wel – roedd hi'n argyfwng, on'd oedd? Ac wrth gwrs roedd pawb mewn hwyliau ffantastig ac yn chwerthin a chwarae dwli.

"Alla i ddim aros i weld wynebau'r M&Ms pan awn ni'n ôl i'r dosbarth!" gwichiais. "Fyddan nhw DDIM yn hapus!"

Es i mas a mynd at y fainc lle gadewais i'r bwced. Doedd e ddim yno! Doedd y bwcedi eraill ddim yno chwaith. Roedden nhw wedi diflannu.

O, allwn i ddim credu! Roedd rhywun wedi dwyn yr arian!

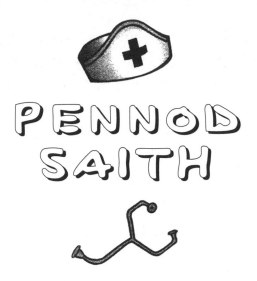

PENNOD SAITH

"Be fedrwn ni wneud?" llefodd Sara.

"Rhaid i ni chwilio am y bwcedi." Ro'n i'n gwneud fy ngorau glas i swnio'n cŵl, ond roedd fy mol yn corddi. "Welsoch chi rywun yn cripian rownd y toiledau? Pwy oedd yr ola i fynd i'r toiled?"

"Ffi," atebodd Ali. "Mae hi'n dal yno."

Ro'n i ar fin mynd i chwilio amdani, pan gerddodd Mrs Roberts a gweddill y dosbarth heibio.

"Dewch, ferched. I mewn â ni i'r gwasanaeth. Sefwch mewn rhes!"

Roedd yr M&Ms yn tynnu wynebau arnon ni, felly penderfynais i beidio â dweud gair wrth Mrs Roberts am yr arian. Byddai'r M&Ms wrth eu boddau. Felly fe safon ni yng nghefn y rhes a thynnu wynebau'n ôl arnyn nhw.

"Ydych chi'n meddwl bod yr M&Ms wedi dwyn y pres i'n sbeitio ni?" sibrydodd Sara.

"Falle," atebais. "Gwell i ni gadw'n dawel i weld a ddwedan nhw rywbeth."

Yn y gwasanaeth fe soniodd Mrs Parry am y Diwrnod-Dewis-Dillad. Dwedodd hi y byddai hi'n cyhoeddi cyfanswm yr arian ar ôl i ni ei rifo. Am embaras! A doedd Ffi ddim help. Roedd hi wedi treulio cymaint o amser yn y toiled, fe gollodd hi'r gwasanaeth ac yna rhoi'r bai arnon ni! Wnaeth hi ddim siarad â ni hyd yn oed nes oedd hi'n amser chwarae. Doedd gyda ni ddim amser i siarad ta beth. Roedd Mrs Roberts yn ofni y byddai plant heb iwnifform yn cadw reiat. Felly be wnaeth hi? Rhoi llwyth o waith i'n cadw ni'n dawel!

Pan ganodd y gloch amser chwarae, awgrymodd Ali ein bod ni'n dilyn yr M&Ms.

"I weld a ydyn nhw wedi cuddio'r arian yn rhywle."

Ochneidiodd Ffi. "Wel, dw i'n mynd i swyddfa Mrs Parry."

"Ydy hynna'n syniad da?" gofynnais. "Dylen ni fynd i drio cael gafael ar yr arian gynta. Bydd pawb yn chwerthin am ein pennau ni pan glywan nhw fod yr arian wedi mynd."

Cytunodd y lleill, ond roedd Ffi'n benderfynol. Stelciodd at ddrws Mrs Parry a churo'n uchel. Ro'n i'n teimlo'n swp sâl, wir i ti.

"A, ferched. Dewch i mewn." Amneidiodd Mrs Parry arnon ni.

Ro'n i ar fin agor fy ngheg i ddweud yr hanes, pan sylwais i ar rywbeth ar y ddesg. Rhes o fwcedi'n llawn o ddarnau 50c! Ro'n i'n disgwyl i Mrs Parry roi pregeth i ni am fod mor ddiofal â'u gadael ar y fainc, ond wnaeth hi ddim – dim ond dweud wrthon ni am rifo'r arian yn ystod y wers nesa. Ro'n i'n teimlo'n stwmp – ond roedd Ffi'n hollol cŵl. A dweud y gwir, roedd gwên fach wybodus ar ei hwyneb.

"Ti roiodd y bwcedi i Mrs Parry, ontefe!" chwyrnais ar ôl i ni fynd mas. Dim ond nodio wnaeth Ffi.

"Pam na ddwedaist ti?" sgrechiodd Ali.

"Wnaethoch chi ddim rhoi cyfle i fi!" snwffiodd Ffi. "Es i â'r bwcedi i gyd i mewn i'r toiled gyda fi i'w cadw nhw'n ddiogel. Ac wedyn fe adawoch chi fi yn y toiledau, os ych chi'n cofio! Felly fe es i â nhw'n syth at Mrs Parry yn lle mynd i'r gwasanaeth."

Ond doedd hi ddim yn swnio'n ddig wrthon ni nawr, a doedden ni ddim yn ddig wrthi hi chwaith. Roedden ni mor falch fod yr arian yn ddiogel. Ac ar ben hynny fe gollon ni'r wers fathemateg. Pan oedd pawb arall yn gwneud symiau boring, roedden ni'n rhifo'r arian. Cŵl! Roedd yr M&Ms o'u co, yn enwedig am fod pawb yn eu beio nhw am wrthod cefnogi'r Diwrnod-Dewis-Dillad.

"Ydych chi'n meddwl y bydd yr M&Ms yn trio difetha'r helfa drysor fory?" gofynnodd Sara ar ôl ysgol. "Roedden nhw wedi digio efo ni heddi. Yn enwedig pan ddwedon ni ein bod ni wedi casglu £162."

"Wel, o leia dydyn nhw ddim wedi dwyn y posteri, fel gwnaethon nhw unwaith," meddai Ali. Roedden ni wedi hongian posteri ym mhob twll a chornel ac roedden nhw'n dal yno. Edrych, dyma un fan hyn. Be wyt ti'n feddwl o hwn?

HELFA DRYSOR

Dewch i ymuno yn yr hwyl
a chodi arian tuag at

WARD Y PLANT

Pris: £5 am dîm o 5

GWOBR WYCH
Troli Chwim-ac-am-Ddim
drwy Pricebusters

Helfa'n cychwyn yn Ysgol Gynradd Tregain
am 10 o'r gloch fore Sadwrn Mai 23ain.

Cŵl neu be?

A dweud y gwir, doedd gyda ni ddim amser i boeni am yr M&Ms. Roedd hi'n ras wyllt i orffen trefnu erbyn y bore. Roedd pob un ohonon ni wedi sgrifennu deg copi o'n cliwiau ac fe benderfynon ni eu dosbarthu yn y drefn gywir. Gadawon ni'r cliw cynta gyda Mrs Parry yn yr ysgol, yna fe aethon ni i Pricebusters i roi'r cliw nesa i Mr Hicks. Roedd e'n falch iawn o'n gweld ni.

"Dwi'n edrych 'mlaen yn arw at fory," chwarddodd. "Ond peidiwch â dangos y cliw i fi, achos fydd hynny ddim yn deg!"

"Ydych chi'n mynd i gymryd rhan?" gofynnodd Ali'n syn.

"Na, dw i ddim, ond mae Megan, fy merch, yn methu aros. Mae hi wedi perswadio'i mam i ddod â hi a rhai o'i ffrindiau." Gwenodd o glust i glust.

"Grêt!"

Rhoddodd e ddeg bag plastig i ni ac fe roison ni gliw ym mhob un.

"Fe osoda i fwrdd o flaen y drws ffrynt er mwyn i bawb gael ei weld," meddai.

Ar ôl gadael yr archfarchnad aethon ni i syrjeri Dad a rhoi'r cliwiau i Mrs 'Pigog' Prosser, sy'n gweithio yn y dderbynfa. I ffwrdd â ni heb aros i siarad. Yna safon ni wrth gât Ffi. Aeth Ffi i'r tŷ i roi'r cliwiau i'w mam, a phan ddaeth hi mas, fe chwifiodd hi un bys. Ar yr ewin roedd farnis ffres.

"Dyma'r farnis fydd Mam yn ei roi ar bob cliw. Mango Sorbet yw'r enw. Rhaid i ni wylio na fydd neb yn twyllo drwy ddefnyddio lliw arall."

Snwffiodd pawb. Pwy fyddai'n trafferthu twyllo?

Wedyn fe aethon ni i'r Aelwyd lle'r oedd Anti Mai'n disgwyl amdanon ni. Helpon ni i roi'r cliwiau'n sownd wrth daflenni gwybodaeth yr Urdd, yna 'mlaen â ni i ardd Sara. Roedd tad Mel wedi gadael rhes o lestri di-siâp yn yr ardd. Rholion ni'r cliwiau a gwthio un i geg pob llestr gan ofalu gadael ei hanner yn y golwg.

"Ydych chi'n meddwl bydd pawb yn gwbod ble i edrych?" gofynnodd Ffi. "Mae'n anodd gweld y llestri ar y lawnt."

"Ond, bydd fy nghliw ffantastig i'n eu helpu nhw, cofia!" meddai Sara'n falch. A dyma hi'n adrodd y cliw:

"Mewn hen dŷ yng Nghlos y Nant
Mae Cari'n byw, a thri o blant.

Ewch chi yno yn ddi-oed
I weld y LLESTRI dan y coed."

"Ac os bydd rhywun ar goll, dwi'n siŵr bydd Ian yn dangos y ffordd iddyn nhw," chwarddodd Ali a phwyntio at Ian a oedd yn gwibio rownd y llestri yn ei gadair olwyn.

"Bydd pawb yn mynd yn ôl i Pricebusters o'r fan hyn," dwedais. "Faint o amser gymerith hynny? Deg munud?"

"Ie, tua deg munud," cytunodd Sara. "Felly faint o amser gymerith hi i'r cystadleuwyr orffen yr helfa fory?"

Edrychais ar fy watsh. Roedden ni wedi bod wrthi am dros awr a hanner, ond roedden ni wedi stopio sawl gwaith. Ac wrth gwrs allen ni ddim mynd yn gyflym am fod Sara'n dal i hercian ar ei ffyn baglau.

"Dwi'n meddwl bydd yr helfa'n cymryd tua awr fory. Felly bydd gyda ni ddigon o amser i ofalu fod popeth yn iawn ac yna mynd yn ôl i Pricebusters i drefnu'r bàth!" Edrychais ar fy watsh eto. "Wel, giang, dw i wedi blino, os nad ych chi. Mae gyda ni ddiwrnod mawr o'n blaen – a chyfarfod dathlu MEGA-mawr i ddilyn! Ta ta am nawr – a tŷ ni am naw! Wela i chi yn y bore."

Ac adre â ni.

Erbyn i'r lleill gyrraedd fore drannoeth ro'n i wedi bod ar fy nhraed ers oriau ac yn methu aros. Roedd pawb arall yn teimlo 'run fath – pawb ond Ffi. Roedd hi wedi bod yn effro drwy'r nos. Roedd hi'n poeni y byddai'r diwrnod yn llanast llwyr.

"O, Ffi, bydd e'n hwyl!" dwedais yn galonnog. "Ac wedyn fe gawn ni gyfarfod gwych!"

Fe gododd hynny ei chalon ryw ychydig. Ar ôl i bawb adael eu cit yn fy stafell i, aethon ni i'r ysgol.

Yn syth ar ôl cyrraedd, fe hongion ni faneri dros y gât a phoster enfawr gyda'r geiriau: HELFA DRYSOR: MAN CYCHWYN mewn llythrennau mawr du.

"Wel, o leia bydd pawb yn gwbod lle mae cychwyn, hyd yn oed os na fyddan nhw'n medru gorffen!" giglodd Sara.

Pan gyrhaeddodd Mrs Parry, roedd hi mewn hwyliau da.

"Achos does dim ysgol am wythnos, dyna pam!" sibrydodd Ali.

"Rydych chi wedi gwneud gwaith da dros ben!" meddai Mrs Parry'n edmygus. "Da iawn chi am drefnu mor dda. Rydych chi wedi dangos tipyn o fenter!"

Daeth gwich fach oddi wrth Ffi, ond llwyddodd pawb arall i edrych yn gall a difrifol, nes i Mrs Parry fynd i weld a oedd unrhyw gystadleuwyr wedi cyrraedd.

"Os dwedith hi hynna unwaith eto, bydda i'n byrstio!" meddai Mel. "Bydda, wir!"

"Fyddi di ddim yn chwerthin pan weli di pwy sy'n dod," ochneidiodd Sara.

Trodd pawb i edrych. A phwy wyt ti'n meddwl oedd yn dod? Neb llai na'r M&Ms a'u ffrindiau stiwpid.

"A, ferched! Da iawn chi am ddod i gefnogi'ch ffrindiau," meddai Mrs Parry'n sebonllyd. "Bydd Alwen yn derbyn yr arian ac wedyn fe arhoswn ni i'r timau eraill gyrraedd."

Estynnodd yr M&Ms bumpunt i Ali gan wenu fel angylion.

"Rydyn ni wedi dod i chwerthin am eich pennau chi, Clwb-Trefnu-Llanast!" sibrydodd Emma Davies o dan ei gwynt a giglodd ei ffrindiau stiwpid.

Ro'n i'n gynddeiriog. Ro'n i'n gwybod bod 'na ddrwg yn y caws, ond roedd Mrs Parry'n ein gwylio ni â llygaid barcud, felly doedd dim i'w wneud. Ta beth, roedd rhagor o bobl yn cyrraedd.

"Ydyn ni wedi gadael digon o gliwiau?" sibrydodd Ffi'n ofidus. "Falle bydd mwy na deg tîm."

"Na, dwi'n siŵr y bydd popeth yn iawn," meddai Ali'n hyderus. "Mae bron yn bum munud i ddeg a dim ond chwech tîm sy wedi cyrraedd hyd yn hyn. O edrych, Mel. Mae dy fam yn dod!"

"Be?" gwichiodd Mel. "Mam! Beth wyt ti'n wneud fan hyn?"

"Cymryd rhan yn yr helfa wrth gwrs, madam!" atebodd Mrs Davies gan afael yn Ben ag un llaw a gwthio bygi Sbeic â'r llaw arall. "Wyt ti'n trio dweud nad yw 'mhumpunt i ddim yn ddigon da i ti?"

"Nadw, wrth gwrs!" gwichiodd Mel.

"A dyma fy ffrind Carol a James, ei mab," ychwanegodd ei mam. "Rydyn ni'n dîm o bump."

Trodd Mel aton ni a'i hwyneb yn goch. "Dwi ddim wedi dweud wrth Mam beth yw'r cliwiau, wir! Wnes i ddim hyd yn oed sôn am lestri Dad!"

Edrychais o gwmpas. Roedd yr iard yn llawn o bobl o bob oed. Doeddwn i ddim yn 'nabod eu hanner nhw, er bod 'na rai plant o'n hysgol ni – Rhidian Scott a Daniel McRae, er enghraifft. Ac roedd rhywun yn chwifio'n wyllt arna i o gadair olwyn. Pwy oedd e ond Jac o'r ysbyty. Gwenodd fel gât a chodi'i fawd arna i. Roedd dwy fenyw a merch gydag e. Ro'n i'n meddwl 'mod i'n 'nabod y ferch ac yna fe gofiais pwy oedd hi. Megan, merch Mr Hicks! Ro'n i wedi gweld ei llun ar y ddesg.

"Bore da, ffrindiau. Dwi mor falch o weld cymaint ohonoch . . ." Roedd Mrs Parry wedi dechrau ar araith o groeso ac yn rwdlian fel arfer. "Codi arian rwdl-rwdl-rwdl . . . Ward y Plant rwdl-rwdl-rwdl . . . Helen Samuel, Alwen Tomos . . ."

Roedd pawb yn curo dwylo, felly fe ymgrymon ni a theimlo'n stiwpid.

"Rheolau'r helfa drysor rwdl-rwdl-rwdl . . . bydd y tîm cyntaf i gyrraedd y man cywir am 11.15 a dangos y cliwiau cywir yn ennill y wobr. Mae'r cliwiau cyntaf gen i fan hyn. Pob lwc i chi i gyd!"

Chwibanodd Mrs Parry a charlamodd pawb ati fel bwystfilod. Lwcus ei bod hi'n dal i sefyll! Yna aeth pawb i wahanol gornelau i sibrwd ymysg ei gilydd a darllen y cliw. Rhuthrodd criw mawr o'r iard gyda'r M&Ms ar y blaen.

"Dydyn ni ddim eisiau i'r Ddwy Erchyll ennill. Rhaid i ni eu stopio nhw!" rhybuddiais y lleill. "Pawb i gymryd cliw yr un, mynd yno a thrio'u drysu nhw. Fe gwrddwn ni yn Pricebusters am ddeg munud i un ar ddeg. Iawn?"

Drwy gyd-ddigwyddiad rhyfedd, roedden ni i gyd yn gwybod ble i fynd . . . Rhedodd pob un ohonon ni i gyfeiriad gwahanol gan adael Mrs Parry i gasglu'r arian a gweiddi: "Wela i chi yn nes ymlaen!"

Es i ar fy union i syrjeri Dad a loetran

fan'ny. Cyn hir clywais yr halibalŵ rhyfedda ym mhen pella'r Stryd Fawr wrth i griw o bobl anelu amdana i, rhai â bag plastig yn chwyrlïo'n yr awyr a'r lleill yn cydio'n dynn mewn cliw. Doedd dim bag na chliw gan y mwyafrif, ond roedden nhw'n dal i ruthro tuag ata i. Ac yng nghanol y dorf roedd y ddwy ddiflas.

"Roedd y cliw 'na'n llawer rhy hawdd, on'd oedd e, Samuel?" wfftiodd Emily Mason yn ei llais cras. Rhuthrodd Emma Davies heibio a tharanu i mewn i'r syrjeri. Cyn hir fe ddaeth allan gyda darn o bapur sgrifennu Dad yn ei llaw. Arno roedd cliw Ffi:

Os ydych chi am fod yn ddel,
I GLOS CEUNANT ewch am sbel.
Mae'n lle braf i chi gael lliw
Ar eich bys ac ar eich CLIW.

"Clos Ceunant?" mwmianodd Mason. "Fan'ny mae dy ffrind di'n byw, ontefe? Ffion Babi-mam Bigbottom?"

"O, fe wnest ti ddatrys hwnna'n gyflym. Rwyt ti mor glyfar!" dwedais gan esgus swnio'n falch iawn. "Gwell i ti fynd ar ras, cyn i bawb arall ddatrys y cliw!"

Edrychodd Emma Davies a'i ffrindiau arna i'n syn. Gwenais arnyn nhw a cherdded i ffwrdd. Ond clywais un ohonyn nhw'n dweud y tu ôl i fi:

"Nid hwnna yw'r ateb cywir. Fyddai Samuel byth yn dweud yr ateb cywir wrthon ni!"

Allwn i ddim help chwerthin yn ddistaw bach. Ro'n i wedi'u twyllo nhw. Dwi mor glyfar!

Rhuthrais draw i Pricebusters. Fi oedd y gynta i gyrraedd. Roedd y lleill yn dal i aros am yr M&Ms. Es i siarad â mam Ali a oedd yn dal i sefyll wrth y bwrdd.

"Mae pethau'n mynd yn dda, Sam!" meddai'n galonnog. "Dwi'n meddwl bod Mr Hicks yn chwilio amdanat ti. Mae e wedi gwthio twba mawr a llwyth o ffa pob draw fan'na. Dyna dy *grand finale* di, ontefe?"

"Yn bendant!" galwais dros fy ysgwydd a rhedeg draw at Mr Hicks. Roedd e'n dadlwytho bocsys. Waw, sôn am cŵl!

Ro'n i wedi dechrau ei helpu, pan gyrhaeddodd Ffi.

"Alla i ddim credu'r M&Ms!" meddai. "Roedden nhw mor anghwrtais! Gwnaethon nhw hwyl am ben salon Mam. Dwedon nhw mai hen salon fach dwp a di-werth yw hi, achos dyw hi ddim yn y Stryd Fawr. Roedd Mam yn gynddeiriog!"

"O, fe gyrhaeddon nhw'ch tŷ chi 'te," snwffiais. "Dyna drueni. Welaist ti rywun arall?"

"Dim ond Rhidian Scott. Aeth e'n goch fel tomato pan welodd e fi!" meddai Ffi gan wenu. "Ond dwi ddim yn gwbod pwy arall oedd yn ei dîm e. Yn unig un welais i oedd Daniel McRae."

"Haia!" Rhedodd Ali aton ni. "Welais i ddim cip o'r M&Ms, yn anffodus. Des i'n ôl i'ch helpu chi gyda'r ffa pob. Does dim llawer o amser, felly gwell i ni fynd ati i'w hagor nhw nawr. Ble mae'r agorwr tuniau?"

"O, TRÔNS!" gwaeddais. "Ro'n i'n *gwbod* fod rhywbeth ar goll!"

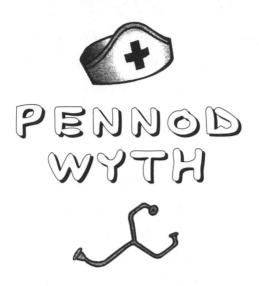

PENNOD WYTH

"Y dwpsen dwp!" gwaeddodd Ali. "Sut gallet ti anghofio'r peth pwysica?"

"Wel, wnaeth neb fy atgoffa i, do fe?" gwaeddais yn ôl.

"Nid ein syniad *ni* oedd eistedd mewn bàth o ffa pob!" meddai Ffi'n chwyrn.

Roedd hyn yn ormod i'w ddiodde. Oedd, wir! Ond wedyn aeth pethau'n waeth byth. Pwy ddaeth i'r golwg ond Bethan! Roedd Mam wedi dod i weld a oedd popeth yn iawn ac roedd Bethan yn stelcian y tu ôl iddi. Ond cyn gynted ag y sylweddolodd hi beth oedd yn digwydd, doedd dim stop ar ei sŵn hi.

"Ro'n i'n gwbod dy fod ti'n hanner call!"

gwaeddodd dros y lle. "Rwyt ti wedi bod yn siarad am y tric stiwpid 'ma ers wythnosau, a nawr rwyt ti wedi anghofio darn o offer pwysig-pwysig. O, twt twt, Helen!"

Croesodd ei llygaid a tharo'i phen â blaen ei bys.

"Ca' dy ben, wnei di!" gwaeddais. Ro'n i'n teimlo fel diflannu mewn pwff o fwg pan ddaeth Mr Hicks i'r golwg.

"Pam nad wyt ti wedi dechrau agor y tuniau?" gofynnodd. "Ro'n i'n meddwl dy fod ti am fynd i'r bàth yn syth ar ôl i'r helfa orffen."

"Wel, mae gyda ni un broblem fach . . ." dechreuais.

"Mae fy chwaer stiwpid wedi anghofio'r agorwr tuniau!" sgrechiodd Bethan.

"O, druan â hi!" meddai Mr Hicks yn garedig. "Dwi'n siŵr y ca i afael ar agorwr nawr. Aros funud!"

Rhuthrodd i mewn i'r siop a daeth yn ôl cyn pen chwinc â phedwar agorwr newydd sbon.

"Dyna ti. Os aiff pedair ohonoch chi ati, fyddwch chi fawr o dro!" chwarddodd, gan estyn agorwr yr un i Ali, Ffi, Bethan a fi.

"Hei, eu busnes nhw yw hwn!" gwichiodd fy chwaer ddwl.

"A dy fusnes di hefyd," meddai Mam yn llym. "Dy fai di am wneud cymaint o hwyl am ben Sam druan!"

Mega!

Erbyn i ni agor yr holl duniau roedd pothelli mawr ar ein dwylo, ond doedd dim ots am hynny. Roedd clywed Bethan yn tuchan a chwyno wrth arllwys cynnwys un tun ar ôl y llall i'r twba yn werth y boen! Hyd yn oed pan gyrhaeddodd Sara a Mel, dwedodd Mam bod raid i Bethan ddal ati. Diolch byth am hynny, achos roedd y ddwy arall yn methu stopio chwerthin.

"Roedd o'n bril. Dylech chi fod wedi gweld yr M&Ms!" gwichiodd Sara yn ei dyblau. "Roedden nhw'n chwilota yn ein gardd ni ac wedi codi un o'r llestri oedd yn dal cliw . . ."

" . . . pan ddaeth Ben a Sbeic i'r ardd gyda Mam," chwarddodd Mel. "Roedden nhw'n 'nabod llestri Dad wrth gwrs, felly fe ruthron nhw at yr M&Ms . . ."

". . . a thynnu'r llestr o'u dwylo nhw gan weiddi 'Dad biau hwnna. Dewch ag e'n ôl!'"

sgrechiodd Sara. "Roedd o mor ddoniol, bues i bron â gwlychu fy hunan! Dyna pam ydyn ni mor hwyr."

"Wel, o leia bydd y ddwy grinc wedi colli amser," dwedais. "Pryd fydd y tîm cynta'n cyrraedd, tybed?"

Ar y gair dyma sŵn sgrechian a gweiddi. Aeth pawb i edrych. Roedd Rhidian Scott a'i dîm yn taranu tuag aton ni, gyda'r M&Ms yn dynn wrth eu sodlau.

"Glou! Ble mae'r faner sy'n dangos ble mae'r llinell derfyn?" gwaeddodd Ali. "Wnest ti ddim anghofio honno hefyd, do fe, Sam?"

"Pwy ddwedodd mai fi oedd i fod i edrych ar ei hôl hi?" gwaeddais innau.

"Ro'n i'n gwbod byddai 'na lanast," gwichiodd Ffi.

"Hei, popeth yn iawn. Drychwch!" gwaeddodd Mel yn gyffrous. A dyma hi'n pwyntio at y bwrdd lle'r oedd mam Ali wedi bod yn dosbarthu cliwiau. "Rhaid bod Mrs Parry wedi dod â hi o'r ysgol a'i rhoi draw fan'na."

Rhuthron ni i'w nôl hi wrth i'r ddau dîm garlamu heibio'r trolïau o flaen yr archfarchnad.

Roedden nhw ochr yn ochr. Gwelais i Emma Davies yn trio gwthio Rhidian Scott o'r ffordd, ond daliodd Rhidian ei dir a'i chadw draw. Roedd Daniel McRae a'i frawd bach yn rhedeg law yn llaw. Y tu ôl iddyn nhw roedd dwy fenyw'n pwffian a'u hwynebau fel tân.

"Maen nhw wedi dod â'u mamau gyda nhw!" sgrechiais.

Roedd hi'n amhosib dweud pwy oedd ar y blaen. Gollyngodd Emma a Rhidian eu bagiau ar y ford yr un pryd mwy neu lai. Roedd golwg ddryslyd ar bawb ac roedd Emma Davies a'i thîm yn ymladd am eu hanadl.

"Ni enillodd, ontefe?" gwichiodd Emily Mason o'r diwedd.

"Na," dwedais yn bendant. "Dwi'n siŵr mai Scotty oedd y cynta i ollwng ei fag."

Edrychodd pawb arna i.

"Wel, dw i ddim yn siŵr, Helen," meddai Mrs Parry. "Rhaid i fi fwrw golwg dros y cliwiau i weld a ydyn nhw wedi casglu'r pethau cywir."

Erbyn hyn roedd y timau eraill wedi cyrraedd a phawb yn chwerthin ac yn gweiddi.

"Roedd hynna'n grêt!" meddai llais y tu ôl i

fi. "Fyddai Britney Spears ddim wedi gallu trefnu helfa mor dda!"

Jac oedd yno.

"Dwi'n falch dy fod ti wedi mwynhau!" chwarddais.

Daeth Mr Hicks draw i weld Megan a'i wraig. Roedd y ddwy yn nhîm Jac.

"Rho wybod i fi pan wyt ti'n barod am y *grand finale*!" meddai gan roi winc i fi.

"O, ti sy'n mynd i eistedd yn y bàth ffa pob!" chwarddodd Jac. "Pwy arall? Mae Megan wedi bod yn sôn wrtha i am y bàth. Wel, dyna ddiwedd ar dy hen grys Abertawe hi!"

"Gwell crys Abertawe brwnt na chrys Man U glân!" Gwenais arno.

Yna rhedodd Ali draw a neidio ar fy nghefn.

"Chredi di byth!" sgrechiodd. "Mae'r M&Ms wedi colli! Roedd gyda nhw'r farnis anghywir ar y cliw!"

Roedd mam Ffi'n amlwg yn teimlo mor grac, roedd hi wedi'u twyllo nhw. Roedd hi wedi rhoi lliw Plum Pudding ar eu cliw nhw yn lle Mango Sorbet. Mega!

"Da iawn, Mrs S!" gwaeddais.

Ro'n i'n fwy na pharod i wynebu'r ffa pob nawr. Rhois i arwydd i Mr Hicks ac i mewn i'r siop ag e. Ymhen munud neu ddwy dyma'r uchel-seinydd yn clecian a chlywais ei lais yn cyhoeddi:

"Llongyfarchiadau i'r tîm enillodd yr helfa drysor. Am ddeg o'r gloch bore fory bydd y Scotts a'r McRaes yn gwthio troli chwim-ac-am-ddim rownd Pricebusters am un funud. Ond nawr, a wnaiff pawb fynd allan i gefnogi Sam Samuel sy'n mynd i eistedd mewn twba o ffa pob o flaen y drws? Mae hi'n casglu arian tuag at Ward y Plant yn yr ysbyty. Diolch yn fawr!"

Dylet ti fod wedi gweld faint o bobl ddaeth allan drwy'r drws. Roedd rhai â bagiau llawn, ond roedd y lleill wedi gadael eu trolïau yn y siop a rhuthro allan.

"Wel, mae gyda ti gynulleidfa fawr ta beth," meddai Ali gyda gwên.

"Oes. Gwell i chi i gyd godi'r bwcedi 'na i ni gael casglu llwyth o arian!"

Nawr ti'n gwybod sut un ydw i. Os ydw i'n gwneud rhywbeth, dwi'n ei wneud e'n iawn. Camais at y twba a gweiddi:

"Drymiau, os gwelwch yn dda!"

A dyma Rhidian Scott a Daniel McRae yn curo'u dyrnau ar y ford.

Dodais un droed yn y twba. Iych, am slwtsh! Roedd e'n teimlo fel cerdded drwy fwcedaid o fwydod, ond fe wenais i fel Miss World. Wedyn fe wnes i esgus dangos fy nghyhyrau fel y dyn cryfa'n y byd. Roedd y dyrfa'n gweiddi ac yn chwerthin ac yn mwynhau bob munud.

Ro'n i wedi meddwl eistedd i lawr yn ara iawn, iawn. Ond rywsut fe faglais. Llithrodd fy nghoesau oddi tana i – WWWWWSH! A dyma lle ro'n i o dan y ffa yn stryffaglio fel petawn i'n ymladd siarc! Roedd y ffa ym mhobman – yn fy llygaid, yn fy nghlustiau, yn fy nhrwyn, i lawr fy ngwddw. Roedd e'n iiiiiiyyyyyych! Dechreuais i beswch a thagu, ond roedd pawb yn chwerthin yn fwy fyth.

Roedd raid i fi ddal ati i gicio a stryffaglio am sawl munud, cyn i'r dorf roi'r gorau iddi a mynd yn ôl i siopa.

"O, bril!" sgrechiodd Ali, pan oedd y person ola wedi mynd. "Fe gasglon ni lwyth o arian! Edrych!" Ysgydwodd y bwced llawn yn fy wyneb. "Mae'r lleill wedi casglu llwyth hefyd!"

"Dim ots!" gwichiais. "Tynnwch fi mas, wnewch chi!"

Doedd neb yn fodlon dod yn agos. Roedden nhw'n esgus taflu i fyny, am 'mod i mor iychi a sleimi. Ches i ddim dod mas nes i Mam wisgo bagiau plastig am ei dwylo a dod draw i helpu.

"O, Sam! 'Na olwg sy arnat ti!" sgrechiodd Sara.

Roedd y lleill yn eu dyblau, ac roedd Mel yn chwerthin cymaint fe gafodd hi'r ig. Yna dyma nhw i gyd yn sibrwd yng nghlustiau'i gilydd.

"Beth ych chi'n wneud?" gwaeddais.

Dim ond sgrechian chwerthin wnaethon nhw ac yna mynd i arllwys eu bwcedi i'r sach gynfas gawson nhw gan Mrs Parry. Wedyn fe redon nhw rownd cornel y siop.

"Ble ych chi'n mynd?" gwaeddais.

"Mae 'na un cliw ar ôl!" chwarddon nhw.

"Plant bach dwl!" snwffiais, wrth drio crafu'r slwtsh o 'nghlustiau i. Ro'n i mor brysur, chlywais i mohonyn nhw'n dod yn eu

101

holau. Un funud ro'n i'n blastr o domato sôs sych, ac yna . . . SBLASH! ro'n i'n wlyb ac yn sleimi unwaith eto! Roedd fy ffrindiau – ffrindiau!!!! – wedi llanw'u bwcedi yn y lle golchi ceir ac wedi taflu'r dŵr drosta i!

"Iawn! Mae ar ben arnoch chi!" gwaeddais a dechrau'u cwrso tuag at ddrws ffrynt y siop.

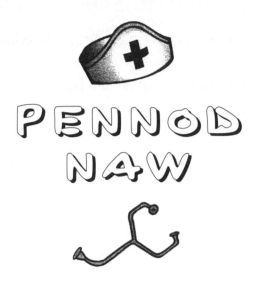

PENNOD NAW

Fe ddychrynodd y cwsmeriaid am eu bywydau pan welson nhw bedair merch yn carlamu tuag atyn nhw, gyda bwystfil sleimi wrth eu sodlau. Plymiodd Ali, Ffi, Sara a Mel drwy'r drws ffrynt. Ddylwn i ddim fod wedi'u dilyn nhw, ond fe wnes.

"Ara deg, 'merch i!"

Teimlais rywun yn cydio yn fy ngholer. Roedd ditectif y siop wedi 'nal i! Neu Mr Hicks! Gan grynu fel deilen, trois i edrych.

"Dad! Buest ti bron â rhoi ffit farwol i fi!"

"Eitha gwaith â ti! Y siopwyr druan fyddai'n cael ffit petai rhyw Slebog Sleimi'n anelu amdanyn nhw. Be wna i â ti, Sam?"

Cyn iddo benderfynu, fe gyrhaeddodd fy ffrindiau.

"Buon ni bron â sathru Mr Hicks dan draed!" gwichiodd Ali. "Roedd raid i ni esgus ein bod ni'n rhedeg i ddiolch iddo cyn mynd adre!"

"Sut aeth pethau?" gofynnodd Dad gan sychu'i ddwylo ar ei facyn. "Gasgloch chi lot o arian?"

"Yr arian!" sgrechiodd pawb.

Roedden ni wedi gadael y sach arian yn ymyl y twba pan redon ni i ffwrdd. Fe garlamon ni'n ôl fel y gwynt. Roedd y sach wedi diflannu!

"O, dim eto!" llefodd Sara. "Wnest ti mo'i rhoi hi i Mrs Parry y tro hwn, Ffi?"

Ysgydwodd Ffi ei phen,

"Am hon ych chi'n chwilio?" Daliodd Bethan Bwystfil y sach o dan fy nhrwyn.

"Dere â hi i fi!" gwaeddais.

"Dim byth!" chwarddodd. "Rwyt ti mor esgeulus, dwi'n mynd i'w chadw hi. Neu fe alli di roi gwobr i fi amdani!

"Paid â bod mor ddwl, Bethan!" Roedd Dad yn sefyll y tu ôl i fi a'i lais fel taran. "Dere â'r sach i fi ar unwaith."

Cymerodd y sach o law Bethan a throi'n ôl ata i. "Ond cofia, mae'n rhaid i ti fod yn fwy gofalus, Sam. A cher i 'molchi, wnei di. Dwyt ti ddim yn cael lifft yn y car a'r holl lanast 'na arnat ti!"

Grêt! Ac nid esgus oedd e chwaith. Ar ôl i ni gael gwared o'r twba ffa pob, mynnodd Dad 'mod i'n cerdded adre! Fe gynigiodd e lifft i'r lleill, ond fe arhoson nhw i gadw cwmni i fi. (Doedd Ffi ddim yn fodlon o gwbl yn ddistaw bach.) Roedd Bethan Bwystfil wrth ei bodd. Fe chwifiodd a thynnu wynebau arnon ni o'r sedd gefn nes i'r car fynd o'r golwg.

Ar y ffordd i'n tŷ ni, roedd raid i ni basio tŷ Sara, tŷ Ffi a thŷ Ali. Roedd mam Sara yn yr ardd.

"'Rargian, dyna olwg sy arnat ti, Sam! Mwynhewch ein hunain heno a chofiwch . . ." Yn sydyn dyma hi'n gwasgu'i llaw dros ei cheg.

"Beth oedd yn bod ar dy fam?" gofynnais i Sara.

"Dim syniad," meddai honno gan godi'i hysgwyddau. "Yr awyr iach sy wedi'i drysu hi, ella!"

Pan oedden ni'n mynd heibio i dŷ Ffi, roedd Andy'n helpu Mrs Sidebotham i gario'r ford i'r tŷ.

"Da iawn, Mrs S!" gwaeddais. "Rydych chi'n seren!"

Gwenodd a rhoi gigl fach, yn union fel mae Ffi'n wneud weithiau.

"Falch o helpu. Ydych chi'n barod ar gyfer y cad–"

"Y cyfarfod," meddai Andy ar ei thraws.

"Mm, ydyn, diolch," dwedais yn syn.

Ymlaen â ni.

"Be sy'n bod ar bawb heddi?" gofynnais yn uchel.

Pan basion ni dŷ Ali, roedd ei mam yn magu Eli yn yr ardd.

"Mwynhewch y cyfarfod, ferched. A pheidiwch â siarad gormod!"

"Ocê, Mam," gwaeddodd Ali gan rolio'i llygaid ar bawb. "Am beth od i'w ddweud!"

Roedden ni i gyd yn barod i suddo i gadair, pan gyrhaeddon ni'n tŷ ni, ond yn gynta roedd raid i ni gael Sesiwn Sgwrio Sam! Roedd e'n wallgo! Aeth Dad i nôl pibell ddŵr hir a llanw'n hen bwll padlo ni. Roedd raid i fi sefyll yn hwnnw tra oedd y lleill yn chwistrellu dŵr drosta i. Roedd y dŵr yn *rhewi*, ond roedd e'n HWYL! Ac ar ôl iddyn nhw olchi'r ffa a phob diferyn o sôs coch oddi arna i, fy nhro i oedd eu chwistrellu nhw! Roedden ni i gyd yn wlyb sopen pan alwodd Mam ni i'r tŷ.

"Rydych chi'n waeth nawr na phan oeddech chi'n dair oed, credwch neu beidio!" chwarddodd. "Ffwrdd â chi i newid, ond sychwch eich hunain gynta." Taflodd hi dywel yr un i ni.

"On'd oedd hwnna'n ddiwrnod bril?" gwaeddais pan oedden ni'n newid yn y stafell molchi. "On'd oedd y bàth yn FFAAA-ntastig?"

"Oedd, yn enwedig pan syrthiaist ti i mewn!" sgrechiodd Sara.

"Ac roedd yr helfa drysor yn dda hefyd, on'd oedd hi?" Roedd Ffi'n edrych yn falch iawn. "Dylech chi fod wedi gweld wynebau'r M&Ms pan ddwedodd Mrs Parry eu bod nhw wedi methu."

"Mae dy fam wedi'u pechu nhw!" giglodd Sara. "Ân' nhw byth ati hi i gael trin eu hewinedd!"

Fe chwarddon ni i gyd dros y lle. Roedd cymaint o bethau i'w trafod. Doedden ni ddim wedi cael cyfle i sôn am y Diwrnod-Dewis-Dillad eto. Ond byddai gyda ni ddigon o amser yn nes ymlaen. Yn gynta roedd raid i ni rifo arian y bàth FFAAA-ntastig.

Aethon ni i lawr staer a dododd Dad y sach arian ar y ford.

"Os arllwysa i'r arian o'r sach, gallwch chi i gyd rifo gyda'ch gilydd. Rhowch y darnau 1 a 2 geiniog mewn pentyrrau gwerth 10 ceiniog, y darnau 5 mewn pentyrrau gwerth 50 ceiniog, ac unrhyw beth arall mewn pentyrrau gwerth £1. Deall?"

"Ydyn," meddai pedair ohonon ni.

"Na," meddai Ffi.

Tynnodd Dad ddyrnaid o arian o'r sach a dangos sut oedd gwneud. Dododd e ddeg darn ceiniog mewn pentwr a phump darn dwy geiniog.

"Mae pob pentwr yn werth deg ceiniog," meddai.

"O, dwi'n gweld!" Gwenodd Ffi'n falch.

"Da iawn, Ffi. Tra-la-la-la-la!" canodd Dad gyda winc gan daflu ceiniog i'r awyr.

"Be?" dwedais gan edrych arno'n syn.

"Diwedd y gân yw'r geiniog, ferched!" chwarddodd Dad.

"Ha ha, Dad – doniol iawn!" ochneidiais, a'i wthio mas o'r stafell.

Eisteddon ni i gyd o amgylch y ford ac yn ara bach fe arllwysais i'r arian o'r sach. Wwwwsh! Llifodd y darnau allan fel afon. Roedd *cannoedd* ohonyn nhw. Doeddwn i erioed wedi gweld cymaint.

"Waw!" Syllon ni arnyn nhw a'n llygaid fel soseri.

"Meddyliwch be fedren ni brynu gyda'r rhain!"

"Cit Abertawe!" sibrydais gan lyfu fy ngwefusau.

"Llwyth o golur drud!" ochneidiodd Ffi.

"Siocled!" Roedd dŵr yn dod o ddannedd Mel – wir! Roedd pawb arall yn eu dyblau.

"Wel, os mai siocled wyt ti eisiau, gadewch i ni fwrw ati," dwedais. "Mae Mam wedi gwneud un o'i chacennau siocled iymi i de. Gorau po gynta i ni rifo'r arian!"

Fe weithion ni fel lladd nadroedd, a chyn hir roedd pentyrrau bach o arian dros y ford i gyd. Ro'n i'n dechrau teimlo'n llwglyd ac yn gobeithio ein bod ni bron â gorffen, pan gripiodd Bethan-stiwpid-Bwystfil i mewn.

"Hei, mwlsod. Chi'n dawel iawn. W, arian! Arian iymi!"

Cododd ddyrnaid o arian a'i adael i lifo drwy'i bysedd. Disgynnodd y darnau ar y ford a dymchwel rhai o bentyrrau Ffi.

"Stopia hi neu . . . !" chwyrnodd Ffi.

"Neu be?" meddai Bethan yn fygythiol.

"Neu fe gei di glipsen gen i!" sgyrnygais.

"Ha! Ga i wir?"

Neidiais ar fy nhraed a dechrau cwrso Bethan rownd y ford. Ro'n i bron â'i dal hi, pan faglodd hi a tharo'n erbyn un o'r cornelau. A dyma bob un o'n pentyrrau ni'n disgyn ac yn llithro'n ôl i ganol y ford yn un pentwr mawr! Allen ni ddim credu.

"Mae hi ar ben arnat ti nawr!" gwaeddais. Ond cyn i fi wneud niwed drwg iddi, daeth Mam i mewn.

"Beth ar y ddaear sy'n bod?" gofynnodd.

"Aw!" Roedd Bethan yn gwasgu'i hochr. Roedd hi wedi cael dolur, ond doedd neb yn teimlo trueni drosti.

"Mae'n ddrwg iawn gen i, ferched, ond bydd raid i chi ddechrau eto," meddai Mam yn llawn cydymdeimlad, pan egluron ni beth oedd wedi digwydd. Yna fe gydiodd ym mhenelin Bethan a'i gwthio mas o'r stafell.

"Alla i ddim credu!" cwynodd Ffi a'i phen yn ei dwylo. "Byddwn ni wrthi am oesoedd!"

"Wel, dwi bron â llwgu," dwedais yn uchel. "Dewch i ni rifo ar ras cyn i fi farw o newyn!"

Gwaith diflas oedd dechrau eto, ond roedd hi'n haws nag oedden ni'n ddisgwyl, a chyn hir roedd yr arian yn bentyrrau twt unwaith yn rhagor.

"Iawn! Neb i gyffwrdd â'r ford!" rhybuddiais. "Dwi'n mynd i rifo."

Fe wnaethon ni i gyd rifo yn y diwedd ac fe gytunodd pawb – heblaw Mel – ein bod ni wedi casglu £78.67, dau fotwm, tri darn arian o wlad dramor, a darn o gwm cnoi! Go dda!

Roedd Mrs Parry wedi rhoi amlen yn y bag. Ynddi roedd y £35 a gasglon ni yn yr helfa drysor. Felly dyna £113.67.

"A chofia'r arian gasglon ni ar y Diwrnod-Dewis-Dillad," meddai Ffi.

"Felly rydyn ni wedi casglu cyfanswm o . . ."

Rhifais yn gyflym – wel, nid mor gyflym â hynny chwaith. "£275.67!"

"Ieeeee!"

"Mega!"

"FFFAAA-ntastig!"

Fe drawon ni ddwylo'n gilydd a dawnsio rownd y stafell.

"Wedi cwpla?" gofynnodd Mam. Daeth hi i mewn i'r stafell â phentwr o fagiau bach plastig yn ei llaw. Helpodd hi ni i roi'r arian yn ofalus yn y bagiau, ac yna dwedodd hi y byddai swper yn barod mewn chwarter awr. Roedd gwên fach ar ei hwyneb, ond chymerais i ddim llawer o sylw. Ro'n i mor falch o gael cyfle i fynd mas i'r ardd a rhedeg o gwmpas gyda'r lleill. Dwi'n casáu eistedd yn dawel am hir, wyt ti?

Ta beth, gwaeddodd Mam fod te'n barod. Pan aethon ni i mewn, roedd hi a Dad a Bethan yn sefyll yno fel rhyw bwyllgor croeso.

"Mae'n anodd dweud hyn ar ôl i chi weithio mor galed drwy'r dydd," meddai Mam.

Edrychon ni i gyd yn amheus arni.

"Ond rhaid i chi fwyta'ch te heb ddweud gair!"

"BE?"

"Syniad eich rhieni yw hyn," eglurodd Dad. "Pan oedden ni i gyd yn trafod y busnes codi arian, awgrymodd rhywun – dy fam di, dwi'n meddwl, Sara – y gallen ni'ch noddi chi am fod yn dawel am unwaith."

"Fel arfer rydych chi fel haid o fwncïod mewn te parti," ychwanegodd Mam. "Felly roedden ni'n meddwl ei bod hi'n syniad da i'ch noddi chi i gadw'n dawel nawr, cyn i chi ddechrau ar y cyfarfod. Fe gewch chi ddigon o amser i glebran yn nes ymlaen!"

"Dyna be sy'n fy mhoeni i," ochneidiodd Dad. "Byddan nhw'n siŵr o siarad tan dri o'r gloch y bore nawr."

Doedd gyda ni ddim dewis. Roedd ein rhieni wedi dewis droston ni. Ond – waw! – roedd hi'n anodd cadw'n dawel. Rydyn ni wedi cael Sesiwn Cadw'n Dawel yn yr ysgol cyn hyn, ond mae hynny'n wahanol, achos rydyn ni wedi arfer cadw'n dawel yn y dosbarth beth bynnag. Ond nawr roedden ni bron â byrstio eisiau siarad. Ac hefyd sut yn y byd oedd gofyn i rywun estyn sôs coch ac ati? Roedd raid i ni wincio a phwyntio – ac roedd hynny'n gwneud i ni chwerthin. A dweud y gwir, fe ddechreuodd Sara giglan, ond llwyddon ni i'w hanwybyddu hi.

Ond pan ddechreuodd Bethan ein pryfocio, roedd hynny'n ofnadwy! Roedd hi'n mynd o gwmpas yn tynnu wynebau arnon ni. Er bod Mam a Dad yn y stafell, wnaethon nhw mo'i stopio hi. Roedden nhw'n darllen y papurau a doedden nhw'n poeni dim – dim ond i ni gadw'n dawel.

"Rwyt ti'n fwnci mawr tew!" sibrydodd Bethan yn fy nghlust. Ro'n i ar fin rhoi clatsien iddi pan neidiodd hi i ffwrdd.

Aeth hi i ben arall y ford at Mel a sibrwd eto. Aeth wyneb Mel yn goch ac agorodd ei cheg i weiddi ar Bethan, ond dyma Ffi'n rhoi proc iddi â'i fforc. Wel, ro'n i'n meddwl bod Mel yn mynd i ffrwydro. Gwasgodd ei llaw dros ei cheg, daeth dŵr i'w llygaid, a dyma hi'n rhoi'r "HIC!" ucha glywaist ti erioed!

Roedd e mor ddoniol, roedden ni i gyd yn cael sterics. Wyt ti wedi trio chwerthin yn dawel? Mae bron yn amhosib. Ro'n i'n chwerthin cymaint, fe gwympais i dan y ford a buodd y lleill bron â gwlychu'u hunain.

Ond yna fe chwaraeodd Bethan dric cas. Dechreuodd hi oglais Ffi. Ac mae Ffi'n CASÁU cael ei goglais. Dyma hi'n gwingo yn ei chadair ac yn agor ei llygaid led y pen i erfyn am help. Ro'n i'n gallu gweld bod pethau'n mynd yn drech na hi, felly codais o 'nghadair i ddysgu gwers i Bethan.

Rhy hwyr!

"BETHAN! STOPIA HI! STOPIA HI NAWR!"

A dyna ddiwedd ar y tawelwch!

PENNOD DEG

Betia i dy fod ti'n meddwl mai Ffi waeddodd! A bod yn onest, ro'n i'n meddwl hynny hefyd. Ond pan neidiodd Mam o'i chadair a'i hwyneb fel taran, sylweddolodd pawb mai hi oedd wedi gweiddi. Mewn chwinc roedd hi wedi cydio ym mraich Bethan a'i llusgo mas o'r stafell. Edrychon ni i gyd ar ein gilydd a thrio peidio â chwerthin. Roedd Mel yn dal i igian, felly roedd raid i ni ofalu peidio â gwneud unrhyw beth arall i darfu ar y tawelwch.

Am y tro cynta erioed, wnes i ddim mwynhau cacen siocled Mam. Dim ond un peth oedd ar fy meddwl i – mynd mas i sgrechian ar dop fy llais. Wyddwn i ddim fod cadw'n dawel mor *anodd*!

Ro'n i mor falch pan ddaeth Mam yn ôl. Roedden ni bron â gorffen bwyta, heblaw am Ffi sy wastad yn bwyta ddwywaith yn arafach na phawb arall. Ar ôl iddi grafu briwsion ola'r gacen oddi ar y plât, dyma Mam yn dweud gair.

"Wel, dwi'n rhyfeddu eich bod chi wedi gallu cadw mor dawel," meddai'n llawn edmygedd. "Yn enwedig pan oedd Bethan yn eich pryfocio chi."

Codais fy llaw.

"Ie, Sam?" meddai Mam.

"Gawn ni siarad nawr?" Roedd fy ngwefusau'n symud, ond doedd dim sŵn yn dod mas.

"Cewch, fe gewch chi siarad faint fynnoch chi!" chwarddodd.

Sgrechion ni i gyd a gweiddi "Hwrê!"

"Nawr bydd gyda chi arian nawdd i'w ychwanegu at y swm gasgloch chi!" meddai Dad gyda gwên.

"Ac am fod Bethan yn gymaint o niwsans, dwi wedi dweud wrthi am roi ei harian poced i chi," meddai Mam.

"O, grêt!" gwichiodd Sara. "Rhaid bod gynnon ni ddigon o bres i brynu pentwr o deganau i Ward y Plant erbyn hyn."

"Siŵr o fod," nodiodd Dad.

Gwenodd pawb ar ei gilydd a dawnsio o gwmpas. Yna rhedon ni mas i'r ardd i ollwng stêm. Fe ddalion ni Sara a'i goglais nes ei bod hi'n gorwedd yn swp ar lawr ac yn gwichian am drugaredd.

"Trugaredd, wir!" dwedais, pan oedden ni i gyd wedi disgyn ar y lawnt yn ei hymyl. "Syniad dy fam oedd y Shhhhhh–esiwn Cadw'n Dawel."

"Wel, hi ddylai gael ei goglais, nid fi," protestiodd Sara, ac yna fe chwarddodd dros y lle wrth feddwl am y peth.

Ar ôl i ni gael ein hanadl, fe chwaraeon ni gêm o Gladiators. Neidiais i ar gefn Ali a neidiodd Sara ar gefn Mel. Y gamp yw gwthio'r tîm arall i mewn i'r gwely blodau. Fel arfer rydyn ni'n hollol wyllt, ond y tro hwn Ffi oedd y reffarî ac roedd hi'n gosod pob math o reolau dwl.

"Pîp!" Dyma hi'n esgus chwibanu. "Annheg!

Dim gwthio â phen-glin gam. Hwb rydd i'r tîm arall!"

Roedd hi'n sgrech! A dwi'n meddwl bod Ffi'n falch iawn ei bod hi'n achosi cymaint o hwyl.

Buon ni'n chwarae gêmau dwl am oesoedd. A phan alwodd Mam ni i'r tŷ o'r diwedd, roedd hi'n dechrau tywyllu.

"O, dyna olwg sy arnoch chi!" sgrechiodd pan welodd hi ni. "Rydych chi'n waeth na glowyr sy wedi bod dan ddaear am fis!"

Roedden ni mor frwnt a bawlyd, mynnodd Mam ein bod ni'n cael bàth. Syniad gwael! Erbyn i ni gwpla, roedd niwl dros bob drych ac roedd llawr y stafell 'molchi'n morio! Doedd Mam ddim yn hapus iawn.

"Byddai'n haws rhoi bàth i bump o gorilas!" ochneidiodd.

Mynnodd Mam ein bod ni'n cropian ar ein pedwar ac yn mopio'r llawr â hen dywelion. Roedd Bethan yn cael sterics ac yn sefyll yn y drws yn gwneud hwyl am ein pennau.

"Dwi wedi pego!" cwynodd Ffi pan gytunodd Mam fod y stafell 'molchi'n ddigon glân o'r diwedd. "Gallwn i gysgu am wythnos!"

"Dylen ni gael ein noddi am gysgu!" cytunodd Sara. "Byddai hynny'n hawdd-pawdd!"

Aethon ni i gyd i'r stafell wely a rhoi cadair o flaen y drws rhag ofn i Bethan drio dod i mewn. Ti'n gwybod sut mae hi'n achwyn bob tro mae cyfarfod yn tŷ ni! Rydyn ni'n dwy'n rhannu stafell ac felly mae hi'n gorfod symud mas i stafell Rebecca, ein chwaer fawr.

"Mae 'mhyjamas i'n wlyb domen!" cwynodd Sara, gan gripian i'w sach gysgu.

"A'm rhai i!" cytunodd Mel. "Dyna'r ail waith i ni wlychu heddi."

"Y drydedd waith i fi!" dwedais.

"Waw! Rwyt ti newydd f'atgoffa i!" meddai Ali gyda sbonc. "Dewch i ni gael ein gwledd ganol nos!"

Nawr dwi'n gwybod bod Ali braidd yn od weithiau, ond sut yn y byd oedd y ffaith 'mod i wedi gwlychu yn ei hatgoffa hi am y wledd ganol nos? Ond pan aeth y lleill i nôl eu picnic a'u rhoi ar y gwely, ro'n i'n deall yn iawn. Pa fwyd oedd ganddyn nhw? Tuniau o ffa pob, wrth gwrs!

"Ha ha! Doniol iawn!" dwedais. Roedd y lleill yn chwerthin cymaint, roedden nhw bron â gwlychu'u hunain eto.

"Dyma dy hoff fwyd di, ontefe?" chwarddodd Ali. "A dwi wedi cofio dod ag agorwr tuniau hefyd!"

"O iych! Paid â sôn!" ochneidiais. "Wir i chi, fe dafla i fyny os gwela i ragor o ffa pob!"

"Lwcus ein bod ni wedi dod â'r rhain 'te," giglodd Ffi. Cododd un o fagiau Pricebusters ac arllwys llwyth o losin ar ben y tuniau.

"O, ffaaaa-ntastig!" dwedais yn hapus.

Bwyton ni nes oedd ein boliau ni'n llawn. Bwyton ni marshmallows a mini-Mars ac fe rannon ni ddau far mawr o Kit-Kat a thri phecyn o Doritos. Iym!

"Rydyn ni yn mynd i weld Rhidian yn gwthio'r troli rownd Pricebusters fory, on'd ŷn ni?" gofynnodd Ffi pan oedden ni i gyd yn gorwedd yn ein sachau cysgu.

"Wrth gwrs!" dwedais yn sionc. "Dwi eisiau 'i bryfocio fe am ddod i'r helfa gyda'i fam!"

"O, paid â bod mor gas!" meddai Ffi.

O leia dwi'n meddwl ei bod hi wedi dweud rhywbeth. Ro'n i wedi blino cymaint, ro'n i'n cysgu cyn i 'mhen daro'r gobennydd.

Fe gysgais i fel twrch, er i fi freuddwydio 'mod i'n boddi mewn twba o ffa pob. Felly drannoeth ro'n i'n effro'n gynnar ac yn teimlo fel deryn. Mynnodd Mam fod pawb yn ffonio'u rhieni i ofyn am ganiatâd i fynd i Pricebusters. Roedd pawb yn fodlon, felly dwedodd Dad wrthon ni am gerdded yno. Roedd e'n mynd i lwytho citiau'r lleill i'r car a mynd â nhw i'r maes parcio lle gallai pawb gwrdd â'u rhieni.

Pan gyrhaeddon ni'r siop, roedd y lle'n ferw gwyllt. Deng munud i ddeg oedd hi ac roedd torf go dda'n sefyll o flaen y brif fynedfa. Gwthion ni'n ffordd drwyddyn nhw nes gweld Rhidian a Daniel a'u mamau a brawd bach Daniel yn sefyll y tu mewn. Roedd Mr Hicks yn egluro'r rheolau iddyn nhw. Roedd raid iddyn nhw rannu un troli a dim ond un funud oedd ganddyn nhw i'w lanw. Ar ddiwedd y funud roedden nhw'n cael cadw popeth oedd yn y troli.

"Byddwn i'n llanw'r troli â siocled!" sibrydodd Mel.

"Byddwn i'n dewis teganau meddal a *bubble bath*!" meddai Ffi.

Doeddwn i ddim yn siŵr beth i'w ddewis. Dyw archfarchnad ddim mor gyffrous â siop chwaraeon – cytuno?

Yn sydyn, canodd cloch ac i ffwrdd â nhw. Safon ni wrth y til yn neidio ac yn gweiddi. Roedd hi'n amhosib gweld beth oedd yn digwydd, ond weithiau byddai rhywun yn gwibio heibio i geg yr eil. Ac weithiau bydden ni'n eu gweld nhw ar y camerâu diogelwch.

"Dwi'n meddwl bod y mamau'n mynd am y siampên," meddai Ali gan estyn ei gwddw. "Dwi ddim yn siŵr ble mae'r bechgyn."

Pan ganodd y gloch, fe ges i sioc. Dyw munud ddim yn hir, dwi'n gwybod, ond allwn i ddim credu ei bod hi mor fyr â hynna! Aeth Mr Hicks â nhw at y til, i weld faint oedd gwerth y nwyddau oedd yn y troli. Doedd gyda ni ddim diddordeb, felly fe aethon ni mas.

"Fydden nhw ddim wedi cael y wobr oni bai amdanon ni!" gwenodd Ali. "Dyna deimlad braf!"

Cytunodd pawb.

"Hei, Samuel!" gwaeddodd llais y tu ôl i fi. Rhidian oedd yno. Roedd e'n cerdded tuag aton ni gan sboncio pêl droed ar ei ben-glin.

"Ie?"

"Wyt ti eisiau hon?" Ciciodd y bêl tuag ata i. "Fe ges i a Daniel un yr un, felly mae hon dros ben."

"O, ydy hi wir?" chwarddais.

"Wyt ti 'i heisiau hi neu beidio?" gofynnodd yn grac.

"Ydw, diolch yn fawr," atebais yn swil. "All neb gael gormod o beli troed. Iawn?"

Cerddodd Rhidian i ffwrdd ac fe ddechreuais innau sboncio'r bêl o'r droed i'r ben-glin, o'r ben-glin i'r droed. Ac anghofiais i bryfocio Rhidian am ddod i'r helfa gyda'i fam!

"Brynodd e ddim byd i ti 'te, Ffi!" meddai Ali gyda winc.

"Dwi ddim eisiau dim," atebodd Ffi'n bwt. "Wnaeth e ddim prynu'r bêl i Sam chwaith, dim ond ei rhoi hi achos bod gyda fe ormod."

"W, pigog iawn!" pryfociodd Sara.

"O, 'co Mam yn dod!" gwaeddodd Mel a

phwyntio at fan ei mam a'i thad. "Hei, Mam. Rwyt ti newydd golli'r Chwim-ac-am-Ddim. Petait ti wedi gwneud yn well yn yr helfa, ti fyddai'n gwthio'r troli."

Chwarddodd ei mam.

"Allwn i ddim mynd yn glou o achos Ben a Sbeic, allwn i?"

Roedd gweddill ein rhieni yno hefyd. Roedd pawb yn chwerthin wrth feddwl amdanon ni'n cadw'n dawel.

"Falle dylen ni'ch noddi chi i gadw'n dawel eto!" awgrymodd mam Ali.

"Dim byth!" meddai pawb yn un côr.

Yn ystod hanner tymor aethon ni â'r arian i gyd i'r banc a'i roi yng nghyfrif Dad. Na, doedden ni ddim yn mynd i gadw'r arian i ni'n hunain, fel dwedodd yr M&Ms. Dad awgrymodd mai dyna'r ffordd orau i ofalu am yr arian nes i ni gael cyfle i'w gyflwyno i Ward y Plant. Pan ddaeth y diwrnod hwnnw, sgrifennodd Dad siec am £300, a oedd yn cynnwys elw'r Diwrnod-Dewis-Dillad, yr helfa drysor a'r bàth ffa pob, hefyd yr arian nawdd, arian poced Bethan ac ychydig o arian Dad i wneud "swm crwn".

Am cŵl! Pan aethon ni i Ward y Plant roedd pawb mor falch o'n gweld ni.

"Dylen ni gael cyflwyniad swyddogol," meddai Nyrs Wendy a oedd yng ngofal y ward. Felly fe drefnodd hi hynny ar gyfer yr wythnos ganlynol.

Pan aethon ni yno ar ôl ysgol, allen ni ddim credu'n llygaid. Roedd y ward yn llawn o falŵns a baneri a phoster mawr â'r geiriau:

DIOLCH YN FAWR I'R CLWB CYSGU CŴL.

Ac nid dyna'r cyfan. Roedd newyddiadurwr a ffotograffydd *Yr Herald* yno hefyd. Tynnon nhw ddwsinau o luniau a gofyn i ni sut casglon ni'r arian. Mynnodd Jac ddweud fod yr helfa drysor yn wych.

Roedd ein lluniau ni ar dudalen flaen *Yr Herald*. Roedd yr M&Ms o'u co! Wnawn ni byth adael iddyn nhw anghofio chwaith, ond dwi'n siŵr y gwnân nhw ddial arnon ni rywsut!

Ta beth, dydyn ni ddim yn mynd i boeni am hynny nawr. Mae gan Ffi gopi o'r llun. Wyt ti eisiau dod draw i'w weld e? Byddwn ni'n cwrdd yn nhŷ Ffi i gael te a dwi'n siŵr y cei di wahoddiad hefyd. Ond wnei di addo un peth i fi? Paid â gadael i neb agor tun o ffa pob!

9

Henffych, ddaearolion! Mae Ali wedi cael telesgop yn anrheg ben blwydd ac mae'r giang wrth eu boddau'n syllu ar y sêr. Ond pam mae horosgop Ffi'n dweud wrthi am 'droedio'n ofalus'? A beth yw'r goleuadau gwyrdd ar Fynydd Tregain? Does bosib fod êliyns wedi glanio yno!

Pacia dy sach gysgu a mentra i'r gofod!

10

Pwy sy'n mynd i actio Sinderela ym mhantomeim yr ysgol? Mae gan Ffi wallt melyn, ond ydy gwallt yn bwysig? Chwilio am Dywysog Hoffus i Mam mae Sara. Mae gan Ali, Sam a Mel ddymuniadau hefyd. Tybed a ddôn nhw i gyd yn wir?

Pwy sy'n dŵad dros y bryn? Ho ho ho! Y Clwb Cysgu Cŵl!